LAC

JEAN ECHENOZ

LAC

LES ÉDITIONS DE MINUIT

L'ÉDITION ORIGINALE DE CET OUVRAGE A ÉTÉ TIRÉE
A QUATRE-VINGT-DIX-NEUF EXEMPLAIRES SUR VELIN
CHIFFON DE LANA, NUMEROTÉS DE 1 A 99 PLUS SEPT
EXEMPLAIRES HORS COMMERCE NUMÉROTÉS DU
H.-C. I A H.-C.VII

*L'auteur remercie le Conseil général du Val-de-Marne
pour son précieux concours*

ISBN 2-7073-1304-1

1

Le téléphone a pu sonner deux fois, Vito savait qu'il ne décrocherait pas. Il remettait sa jambe avant son pantalon, comme tous les jours au saut du lit — rien de bon de toute façon n'arriverait plus jamais par téléphone, et puis n'importe comment c'était sa jambe d'abord.

La prothèse n'était pas récente et Vito Piranese avait pris le coup depuis longtemps : à force d'habitude les courroies s'élançaient toutes seules vers les boucles dont le fer avait barré d'un trait noir, au bon cran, la perpendiculaire du cuir ; sous les grincements du téléphone elles s'empalèrent sur l'ardillon. Vito les glissait dans leurs passants tout en comptant quatre sonneries maintenant. Au bout de cinq ou six, raisonna-t-il, la plupart des gens raccrochent.

Lorsque dix, douze stridences eurent retenti dans la pièce exiguë, un tic agita les traits de Vito Piranese, qui se figèrent ensuite en paysage perplexe. Le téléphone s'installait impérieusement, prenait toute la place dans le studio trop étroit pour deux, les sonneries sciaient l'espace en se chevauchant, reliées par leur écho en traits d'unions — et lorsque vingt-cinq eurent défilé Vito avait compris d'où venait l'appel.

Cela n'aurait plus de cesse à présent, donc Vito prit son temps. Il vérifia toutes les attaches du membre artificiel, passant le doigt sous les boucles et centrant chaque lanière au creux du bon sillon pendant que trente, quarante sonneries se déversaient, répercutées contre le papier peint punaisé de photos de blondes fermement bustées. Vers la cinquantième Vito Piranese se leva, marcha sans boiter vers le téléphone posé sur le buffet près du réchaud. Dans le tiroir du buffet il prit un stylo-bille dont il posa la pointe, prête à courir, sur un bloc quadrillé, puis il porta le combiné vers son oreille et dit oui.

— Piranese ? fit une voix.

C'était la même voix de femme que les autres fois, d'une douceur précise que l'on ne discute pas. Il plaisait à Vito de se représenter la propriétaire de cette voix, son humeur sans doute impérieuse, sa plastique certainement parente de celles qu'il avait crucifiées au papier peint, longues blondes platine aux grandes bouches écarlates, aux dents d'ivoire et aux poitrines de bronze sous lesquelles on plie sans

8

plus aucun souci. Donc à l'appel de son nom Vito répéta oui. C'est moi, oui.

— Treize, quarante-sept, quatorze, prononça la voix. Je répète ?

— S'il vous plaît, dit Vito.

Elle répéta. C'était au bout du fil une jeune femme grande et blonde en effet, mais cuirassée d'un strict tailleur. Elle se tenait assise derrière un bureau chargé de téléphones aux tons variés, certains privés de clavier, d'autres bourrés de boutons. Sur sa droite au creux d'une armoire dormaient quelques dossiers, suspendus comme des chauves-souris, et des tablettes à sa portée soutenaient à gauche des téléscripteurs, des télécopieurs et des terminaux. En raccrochant elle se tourna vers un homme de haute taille également, debout près d'elle en costume bleu nuit, l'œil absent dans un visage sombre. Depuis quelques minutes il plongeait sur la jeune femme un regard distrait, quoique filigrané de concupiscence. Voilà, dit-elle, c'est fait. Bien, fit l'homme. Prévenez que je suis là, maintenant. Décrochant un autre appareil, elle annonça le colonel Seck.

— C'est bien, dit-elle, il vous attend.

Le colonel marcha vers une double porte, frappa, entra sans attendre de réponse dans une pièce beaucoup plus vaste et longue, latéralement ornée de tableaux, portraits classiques de grands commis de l'Etat, et d'objets exotiques sous vitrine, cadeaux officiels d'homologues étrangers. Au bout de cette pièce, un bureau Charles X supportait les coudes d'un homme frêle penché sur un carré de papier, un mégot rivé dans sa commissure, un œil fermé par le fil de fumée. Nul dossier sur ce bureau, aucun livre nulle part, seulement deux crayons rouge et noir et ce carré blanc.

Désignant un fauteuil au colonel, l'homme lui tendit ensuite un paquet de Gauloises jaunes goût Maryland, qui sont devenues une marque rare : ce sont des cigarettes qu'on ne trouve pas comme ça, qu'il faut commander dans les bureaux de tabac, bref que plus personne ne fume de nos jours sauf lui, dont le costume gris perle un peu taché, pas mal poché, laisse supposer qu'il est un homme de l'ombre, loin des tribunes et des organes, interdit au public ; personne ne sait son nom. Cependant, le fait que la Régie continue de produire des Gauloises jaunes à son usage exclusif donne une petite idée de son pouvoir. Il en rallumait une au mégot précédent. Merci, dit le colonel, j'ai mes cigares.

— Où en sommes-nous ? s'inquiéta Maryland.

— Ça se met en place, dit le colonel Seck, je veux juste vérifier que Chopin n'a pas bougé. Je saurai ça dans une semaine et ensuite on y va. C'est parti.

2

13, 47 et 14, donc. Se rappeler ces chiffres tracés sur son bloc n'était rien pour Vito Piranese : quarante-sept est l'année de sa naissance, tout le monde se souvient de treize et quatorze vient juste après. Mémorisées, il enflamma ces données dans l'évier, dispersa leurs cendres au jet puis détergea les traînées jaunes et brunes qui adhéraient à l'émail. Cela fait il enfila son pantalon, consulta sa montre et chercha son sac.

Deux heures plus tard, Vito se présentait devant la gare du Nord, coiffée d'une ligne de hautes statues pensives en plein ciel blanc, vêtues de toges et supposées représenter quelques villes où l'on se gèle. Comme un semis d'étiquettes d'hôtel sur une malle globe-trotteuse, ou comme une lettre perdue revient pleine de tampons, le mot *Nord* se trouvait un peu partout gravé sur la façade au milieu de quoi, surmontant un cartouche indiquant la date de construction de la gare (1894), l'horloge donnait aussi l'heure qu'il était (12:36). Vito dut attendre un moment juste en face, au bar du Rendez-vous des Belges.

Suivant ses instructions, à treize heures Vito montait donc dans un autobus de la ligne 47 qui relie la gare au fort de Bicêtre, se préparant à l'échange à hauteur de la quatorzième station. L'autobus était presque vide lorsqu'il s'assit au fond à gauche où deux banquettes se regardaient, près de la fenêtre dans le sens de la marche. Sur le siège qui lui faisait face Vito posa son sac, une sacoche taillée dans un matériau fripé, bouilli, dernier état du cuir avant le carton. Chaque fois qu'il avait dû se servir du sac, Vito s'était demandé à quelle pauvre bête frileuse et mal-aimée, de santé fragile et d'espèce prochainement éteinte, pareille matière avait bien pu servir d'abord de peau.

Le 47 prit en pente douce le boulevard Magenta, puis le Faubourg-Saint-Martin, peu de monde en descendit, moins encore y montait — un coiffeur à la retraite, une mère célibataire, deux étudiants camerounais. Par temps clair, parmi le trafic réduit, une quiète ambiance de safari photographique régnait dans le véhicule, l'heure étant idéale pour observer toute sorte de salariés lâchés sur les trottoirs pour y chasser leur nourriture, parfois y déployant leurs parades amoureuses. Lorsqu'on franchit la Seine, l'astre au milieu du ciel de mars tâchait pâlement de s'y refléter avant d'y être bu.

L'autobus faisant halte au pied de la cathédrale, Vito chaussa des lunettes noires que ne justifiait en rien cet éclairage martien, les portières accueillaient d'un soupir deux nouveaux usagers, jeune fille et vieillard maigre. La jeune fille en reprenant sa monnaie dit une phrase au chauffeur dont le sourire explosa glorieusement, magnificat dans les rétroviseurs, cependant que le vieillard maigre encombré d'un cartable fin s'engageait au milieu de la travée, se retenant aux barres glissantes et aux poignées trop hautes. Derrière ses copies de Ray-Ban, Vito Piranese le regardait approcher : mécanique et décharné, l'écharpe et les doubles foyers dénotaient quelque ancien professeur d'anglais dans le privé, extrêmement fatigué, plus capable de rien, et son cartable cousu dès l'aube de la scolarité obligatoire ne supportait lui non plus, à bout de force, que les très petites choses, les formulaires légers de la sécurité sociale et de l'allocation-vieillesse, les ordonnances ou les radiographies.

Côté couloir il vint se laisser tomber sur la banquette en face de Piranese, posa son cartable devant lui, une main sur son plexus et souffla. Son occiput vint légèrement cogner le dossier sous le démarrage mal débrayé de l'autobus puis il ferma les yeux, les lèvres un peu tordues par le sens contraire de la marche.

Après qu'à la station Banquier, l'autobus freinant à l'américaine, le vieillard eut haussé brusquement les paupières, se fut dressé avec un temps de retard puis rué en hâte vers la portière, Vito le regarda traverser l'avenue vers le dispensaire, le sac en peau de pauvre bête pendu au bout de son bras. Puis il fit grimper sur ses genoux le vieux cartable fidèle dont il caressa le cuir laïque jusqu'à la place d'Italie, d'où il plongea dans le métro. De là, pour rentrer chez lui, c'était long mais c'était direct.

Revenu dans son studio quelque part vers Laumière, Vito Piranese étudia le contenu du cartable. Des pelures vert amande dactylographiées lui indiquaient les nom et prénoms (Chopin Franck, Eric, Georges), l'adresse (avenue des Ternes) ainsi que l'emploi du temps de l'individu qu'il faudrait surveiller sept jours de suite, la tâche de Piranese étant de relever le moindre écart à cet emploi. Deux photos montraient un homme assez mince aux cheveux clairs, en costume clair et paraissant un peu plus jeune que Piranese, l'une en couleurs précisait le ton des cheveux jaunes et du costume jaune clair. On y voyait le dénommé Franck Chopin aux commandes d'un coupé, d'un caddie, sur fond de Baie des Anges ou de Mammouth. Vito regarda ces photos dans la

14

convoitise, dans le tourment, dans la conscience de son malheur, mais le lendemain après-midi il se trouvait assis sur un banc du Jardin des Plantes, non loin du portail principal, en attendant l'individu.

Piranese avait un peu froid, son corps était sec, son profil coupant, ses cheveux noirs brillaient comme une perruque et ses yeux noirs comme sous une fièvre. Assis sur ses reins, sa jambe raide au bout de lui, il regardait soupçonneusement le ciel, serrant les poings dans les poches de sa veste hors saison pour encore un petit mois.

Avant celle qu'il était en train de pratiquer sur ce banc, Vito Piranese avait exercé d'autres professions, entraîneur de basket avant son accident puis courtier en métaux non ferreux, prospecteur-placier jusqu'au départ de Martine, retoucheur photographe enfin. Nulle part cela n'avait bien réussi sauf une fois, retoucheur, quand il avait rendu service à d'importantes personnes discrètes : on s'était intéressé à lui. Il avait eu deux entretiens. Maintenant, grâce à ces personnes jamais revues depuis, Vito suivait régulièrement les gens qu'on lui demandait de suivre selon le même protocole fixé une fois pour toutes, l'interminable sonnerie du téléphone et les trois chiffres, l'autobus, l'échange des sacoches, jamais le même autobus, toujours les mêmes sacoches depuis Mata-Hari. Et tirant de cet emploi de quoi vivre juste

15

juste avec le cinéma de temps en temps, la lecture des journaux, des hebdomadaires de télévision, Vito consacrait le reste de sa vie à tenter d'oublier Martine.

Certes il y avait bien eu cette place de chauffeur que les personnes lui avaient vaguement promise, mais qu'il envisageait sans trop d'espoir vu sa jambe. Et sans trop d'indulgence il considérait le ciel, donc, avec de brefs regards dans d'autres directions : à sa droite, une statue d'Emmanuel Frémiet représentait une ourse en train de détruire un homme à l'âge du fer ; derrière lui sa voiture, une petite Ford automatique pourpre, se blottissait entre deux gigantesques autocars à étage bleu roi luxembourgeois ; à gauche, dominant le portail du Muséum d'histoire naturelle orné de fauves et de fougères, homards et lézards, un aigle de pierre jetait un long coup d'œil sur la gare d'Austerlitz.

Quand le portail du Muséum s'ouvrit sur le costume jaune clair, Vito se leva pour précéder l'homme contenu dedans vers la sortie du parc. En sortant de son laboratoire, Chopin devrait passer devant le bronze de Barbedienne qui figure, en abyme, Emmanuel Frémiet sculptant l'ourse homicide, puis se dirigerait vers sa voiture, un pâle coupé allemand carrossé Karmann-Ghia. Depuis l'intérieur de la petite Ford, Vito photographia Chopin montant

16

dans son coupé, puis il manœuvra pour se placer en position de départ.

La Karmann-Ghia longea vers l'ouest la rive gauche du fleuve, suivie par la Ford pourpre dont l'autoradio ne captait que deux ou trois stations sur ondes moyennes. En essayant de le régler, Vito se remémorait méthodiquement l'emploi du temps supposé de Chopin. Il était calme et concentré, quoique, au pied d'un feu rouge, comme Chopin s'apprêtait à passer le pont de l'Alma, une chanson qu'avait aimée Martine fît monter brusquement dix larmes aux yeux de Vito, et sur l'autre rive il pleuvait encore.

3

Lorsqu'il pleut trop sur les Champs-Elysées, les hommes qui ont un peu de temps cherchent un coin sec en attendant que ça passe. Leurs abris sont des abribus ou des galeries marchandes, des entrées de cinéma, des marquises. Quelques firmes d'automobiles de luxe se sont fixées depuis longtemps sur les Champs-Elysées, et dans les halls d'exposition stationnent leurs derniers prototypes dressés sur pneus neufs, fauves sculptés à l'arrêt, très chers modèles que ne pourront jamais s'offrir ces hommes qui ont assez de temps pour tourner autour d'eux, s'étant réfugiés là.

Opales dans leur écrin, sous les capots miroitent les blocs moteurs, les douze cylindres en V, les poussoirs hydrauliques, les carburateurs double-corps verticaux inversés. Les hommes tournent en silence sans trop oser toucher, s'ils vont par deux ou trois c'est à voix basse qu'ils comparent les options sous les pare-brise feuilletés ; entrouvrant une audacieuse portière, ensuite ils n'osent plus la fermer. Mais dans les halls se trouvent aussi, dévoués corps et âme à la maison mère, des jeunes gens élégants qui servent principalement à plaisanter avec les explosives hôtesses aux cils enthousiasmants, puis à claquer avec désinvolture toute portière qui dépasse. Ce claquement produit un accord parfait, majeur et lubrifié, comme sonnent à vide les clefs d'un saxophone ténor neuf, les hommes qui tournent autour des prototypes admirent le son mais n'éprouvent pas de sympathie pour ces jeunes gens.

Depuis le seuil de chez Mercedes, on voit bien que la pluie s'est calmée puisque au dehors le monde resurgit par dizaines, cinquantaines de silhouettes avec tous les milliers qu'on pressent alentour, parmi quoi celle de Franck Chopin, toujours vêtu de son costume pâle qu'on ne voit pas sous l'imper bleu marine. Au-dessus de lui, dans le ciel bas qui se dégage, deux gros nuages de zinc pèsent comme des outres, d'où paraissent échappés quelques petits furtifs en pur coton.

Chopin descendait les Champs-Elysées, venant de son domicile avec une petite boîte dans une poche de son imperméable, une petite cage en fil de fer tressé contenant une mouche vivante. Passé le rond-point se déroule en tapis vert la zone arboricole de cette avenue, bordée de trottoirs larges que des squares prolongent. Sur un banc du premier square, une jeune fille assise sur les genoux d'un jeune homme rit aux éclats d'on ne saura pas quoi ; sur les bancs des suivants, quelques brochettes d'intérimaires ingèrent de silencieux yaourts. Indistinct parmi les silhouettes, Vito Piranese n'est sûrement pas très loin. Une semaine qu'il surveille Chopin : chaque soir le téléphone grésille à la même heure chez lui, c'est la grande blonde à qui Vito rapporte le récit détaillé de la journée de Chopin : chaque fois rien d'anormal quant à l'emploi du temps prévu. C'est le dernier jour de sa filature et Vito en est soulagé — quoique c'est toujours pareil, on s'attache au client. Chopin continue de descendre vers la Concorde. Le ciel achève de s'essorer.

Depuis le trottoir, des voyageurs venus du Wisconsin ou du Schleswig-Holstein s'étaient risqués jusqu'au milieu de l'avenue : coincés entre les flots contraires de véhicules ils s'y photographiaient dans l'axe de l'Arc, au loin, qui agitait mollement ses filets protecteurs et son drapeau géant. Vers l'Elysée déferla quelque chose comme un bref cortège officiel, soulevant un sillage de sifflets et de sirènes, instantané comme l'averse et ratissant l'asphalte en refoulant un instant les piétons sur ses rives. Chopin regardait tout, les femmes et les voitures qui lui valent tant de souci, mais aussi le cortège officiel.

La dixième jeune femme après le rond-point qui remontera l'avenue à sa rencontre, celle que protège de l'averse mourante un foulard acrylique polychrome dont les motifs résument un exploit de Tarzan, Chopin va la regarder comme les autres — or voici qu'à peine croisés leurs yeux se posent et ne se détachent plus, deviennent un seul regard qui les enveloppe, les réchauffe, dure longtemps, Chopin est très ému, l'amour à première vue, le souffle manque et vogue la pression artérielle, aïe mon cœur se déchire ay ay je suis brisé. Elle est passée, plus éclatante que la plus explosive hôtesse de chez Maserati.

Tout cela s'étant quand même produit à la vitesse de la lumière, ce regard étant à forte puissance de choc et de pénétration, Chopin demeure une seconde interdit, privé de la moindre suite dans les idées, et lorsqu'il se retourne elle n'est plus là. C'est donc dans d'autres circonstances qu'il fera la connaissance de Suzy Clair.

Trois jours plus tard, une soirée chez Bloch, pas mal de monde. A part les visages pâles du laboratoire il y a leurs épouses, quelques femmes pas trop mal mais la plupart pas trop, une grande majorité d'inconnus pour Chopin parmi quoi trois publicitaires,

21

deux radiologues de Douai, un professeur de culture générale aux Beaux-Arts et encore deux ou trois étudiants camerounais. Chopin, sur le canapé vert, consolait Bloch de n'avoir pas été élu, cette année encore, au jury d'admissibilité — lorsqu'il vit qu'elle était encore là, debout près du gisement de champagne, seule et vêtue d'un truc également vert très épaulé, zippé en diagonale.

En même temps c'est tellement normal avec le syndicat, soupirait Bloch en maltraitant un filtre de Craven, tu te souviens de l'effet de la motion Fluchaire. Mais Chopin s'était levé, marchait vers Suzy Clair sans rien préméditer, l'esprit vide et le cœur triple en se répétant mécaniquement que c'est tellement normal.

Quoique ce pût être une entrée en matière ils n'évoquèrent pas, non, leur regard des Champs-Elysées : ils partaient à zéro. Se demandèrent, histoire de voir, combien d'amis communs les faisaient se rencontrer chez Bloch : zéro. Echangèrent leur nom, quelques notions de leur vie, quelques idées de leurs possessions. Chopin dévisageait exagérément Suzy Clair, quittant un bref instant ses yeux pour ses épaules et sautillant par sa poitrine vers son annulaire gauche, dépourvu d'anneau bien que parmi ses possessions figurât notamment, lui apprit-elle à l'instant, un mari travaillant aux Affaires étrangères et répondant au prénom d'Oswald. Bien. Moi, dit Chopin, c'est les mouches.

Comme elle souriait il lui parla de quelques mouches qu'il étudiait, les brunes, rousses, rouges, orangées et violettes, les vitreuses et les ferrugineuses aux genoux jaunes, à l'œil vert ou bleu vif, et de ce qui est risible dans leurs mœurs. Et comme elle voulait bien sourire encore de sa cravate brodée d'un infime éléphant, rien de plus facile pour Chopin que d'évoquer aussitôt les habitudes des éléphants, ceux qui passaient les Alpes ou descendaient à pied la rue Saint-Denis, ceux dont à Dieppe on sculptait les défenses lorsqu'il y était adolescent.

L'enfance de Suzy Clair, quand elle n'était encore que Suzy Moreno, c'était Blois. Blois n'était plus à présent qu'un petit souvenir en noir et blanc surexposé, quoique très jeune Suzy fût devenue la princesse de la Zup : rien ne se décidait sans elle sur les parkings, dans les sous-sols des tours, près du fleuve ou près du flipper.

Tout cela, bien sûr, ne se raconterait pas d'une traite mais par épisodes sans chronologie, au fil de trois rendez-vous dans la semaine. Dimanche d'abord au cinéma, l'un près de l'autre immobiles dans le noir balayé de couleurs mouvantes, de violons fiévreux. Ensuite jeudi, chez lui, tout de suite ils s'étreignirent en s'admirant, tressaillant de petites rides comme il en est à la surface de l'eau. Mais le dimanche d'après, dans le jardin Shakespeare du Pré-Catelan, Suzy se mit à regarder ses ongles et dit que peut-être il ne faudrait plus se voir. Bien. Moi, dit Chopin, je ne trouve pas.

Non loin, spectres bleu marine, des jardiniers voûtés s'affairaient au chevet du corridor de lande chargé d'évoquer Macbeth. Bon, dit Chopin doucement, qu'est-ce qu'il y a. Ton mari ? Elle haussa les épaules en faisant signe que non. Un temps, dont profite un merle pour essayer d'auditionner. Baissant la tête, Chopin fait le tour de la jeune femme, s'observant au passage dans les petits losanges de miroir fixés à ses oreilles, donne des coups de pieds légers dans les boules de bruyère, bouscule des ombres de sorcières pendant que Suzy Clair lui raconte ce qui s'est passé avec Oswald.

4

Oswald, lorsque Suzy l'avait connu, ne possédait qu'une moto noire à l'arrière de laquelle elle était aussitôt montée, puis ils avaient roulé dans toute la ville, presque toute la nuit. L'air froid faisait jaillir des larmes des yeux d'Oswald, qui allaient rouler le long de ses tempes et se perdre entre les lèvres de Suzy serrée contre lui. Quelques verres dans un bar ouvert tard n'avaient pas dissipé le goût du sel, et quelques mois plus tard leur fils Jim naissait. Après trois déménagements rapides intra-muros, Oswald remplaça la moto par un break puis ils quittèrent la capitale pour sa banlieue.

C'était six ans plus tôt, Jim n'avait pas six mois, ils s'étaient retrouvés dans une résidence neuve, au cœur d'une ville nouvelle du sud-est de Paris. Les Affaires étrangères obligeaient Oswald à s'absenter assez souvent, la plupart du temps pour deux ou trois jours à Genève. Chaque fois il y descendait dans le même hôtel aux chambres interchangeables, appelait Suzy dès son arrivée, lui écrivait le lendemain une carte postale par-dessus les dossiers ouverts débordant de statistiques, de diagrammes et de grilles.

L'hiver, par la fenêtre de l'hôtel, sur la chaussée définie au chasse-neige, une fois sa carte écrite Oswald regardait les trolleybus aux tons passés qui circulaient dans un bruit de feutre. Tout semblait assourdi, phoniquement isolé comme si les petites silhouettes écolières aux anoraks vifs, sur le trottoir blanc sale, déclaraient aux oreilles du monde une bataille de boules Quiès. Le texte au verso des cartes postales était toujours bref, privé, d'ordre affectif (je t'embrasse au même endroit que mardi) ou informatif (la femme de chambre est le sosie de Sophie), et le recto représentait le lac de Genève en toute saison, ou bien la façade de l'hôtel percée d'un coup d'épingle à l'emplacement de la fenêtre. Ces cartes arrivaient presque toujours après le retour d'Oswald.

Durant le rigoureux hiver au cours duquel, double victoire, Jim commença de marcher et de prononcer l'adverbe non, Oswald dut se rendre au bord du lac plus souvent. En l'une de ses absences il avait assez gelé pour qu'explosent les gouttières, les conduites, la glace étayant les corniches de cariatides marbrées, frangées de stalactites, et nul coup de fil ni carte

26

postale ne parvint de Genève cette fois-ci. A son retour Oswald annonça que ce voyage était le dernier, qu'il n'aurait plus à se rendre en Suisse. Il avait à cette occasion rapporté pour son épouse, montées en boutons de manchette, deux petites boussoles qui donnaient vraiment le nord sous le verre bombé; pendant que Suzy cherchait un chemisier pour les fixer tout de suite à ses poignets, Oswald tourné vers la fenêtre proposa qu'on déménageât. Le cycle des réunions de Genève étant achevé, il devrait à présent se rendre plus souvent au ministère, ce serait peut-être plus simple de revenir à Paris, et puis j'en ai un peu marre d'ici, qu'est-ce que tu en penses ?

Ils entendirent très vite parler d'un appartement dont l'aire et l'exposition feraient l'affaire dans le nord de Paris, sur la ligne qui sépare le mauvais dix-septième du bon. Sur rue, leurs fenêtres surplomberaient la tranchée large où vont et viennent les trains de la gare Saint-Lazare, et celles sur cour donneraient sur deux fabriques, l'une de miroirs et l'autre on ne saurait pas de quoi — mais dont la cheminée lâcherait en permanence un fuseau compact de fumée très blanche.

Quelques jours plus tard, donc, leur plantes vertes et leurs meubles se retrouvaient parqués sur le trottoir, se regardant bizarrement, inquiets de ce départ vers l'inconnu, hissés avec les caisses de livres et de vêtements dans un camion vert wagon dont un guépard vert clair, peint sur ses flancs, dénotait la vélocité. Pour le transport des possessions précieuses — six tableaux, douze bijoux, un service en cristal spécialement sensitif et le chat —, la voisine du dessus nommée Jacqueline Monteil prêta son auto, une Fiat élémentaire dont elle se servait peu : Suzy partirait en éclaireuse, Jim à l'arrière de la Fiat sanglé dans son baby-relax. Oswald les rejoindrait une fois tous ses dossiers rangés dans le break.

Toute sorte de dossiers : à sangle, élastique ou fil, anneaux ou crochets, reliés par une spirale ou par des pinces, un trou percé dans le dos de certains permettait de les tirer d'un doigt. Alphabétiques et bleus ou beiges, ils avaient occupé trois murs du bureau d'Oswald Clair jusqu'au plafond, parfois par à-pic en double épaisseur. Oswald venait de les entasser, de A à D à l'avant de la voiture, et les mains sur les hanches il se demandait maintenant si ce seraient déjà les R ou juste les W qui empêcheraient le hayon de se fermer. Suzy lui fit un signe des lèvres en démarrant, Jim agitait son poing serré sur un poupard unijambiste, Oswald leva vers eux une main distraite, avec un sourire de myope absent.

Suzy Clair crut ainsi traverser la banlieue pour la dernière fois, longeant Créteil-Soleil avant de rejoindre l'autoroute. Des stères de bois de Vincennes

défilèrent sur sa droite, à gauche des hectolitres de
Seine puis de Marne, Jim s'était endormi presque
aussitôt. Quand Suzy se cambrait sur son siège pour
vérifier son fils dans le rétroviseur, la ceinture glissant
un peu profond entre ses seins, elle se souvenait
d'elle-même à l'arrière de l'Aronde bordeaux-crème,
les dimanches, quand ses parents nerveux tournaient
pour prendre l'air autour de Blois ; elle calcula que
Jim ne devrait pas commencer avant quatre ou cinq
ans à demander toutes les cinq minutes quand est-ce
qu'on arrive. Un soleil d'Austerlitz brillait sur la rue
de Rome lorsque Suzy gara la Fiat le long des grilles
qui bornent la tranchée ferroviaire. Le camion sta-
tionnait déjà au pied de la nouvelle maison, les
hommes au guépard vert allaient et venaient chacun
sous son objet, s'associant pour l'ascension des
meubles gros.

Ayant très peu de famille connue, Oswald ne
disposait d'aucun héritage mobilier, et du côté de
Suzy seule une grande malle d'osier provenait de la
boucherie d'un oncle, promue au rang de table de
chevet : après n'avoir connu que l'acide univers de la
sciure et du froid, du carreau gras, sans autre perspective que renfermer des linges et des couteaux
sanglants tout au long de sa vie d'objet, pour cette
malle à présent c'était une chaude retraite inespérée,
bourrée de confortables vêtements d'hiver, de four-

rure et de cachemire, d'angora, maintenant on l'élevait, à dos d'homme, vers les hauteurs de la rue de
Rome. A cette exception près, Oswald et Suzy
avaient donc acheté ensemble tous leurs meubles,
souvent imaginés dans le premier tiers du siècle — la
copie d'un fauteuil de Marcel Breuer, d'une étagère
d'Eugène Schoen ou d'un bureau de René Prou, une
lampe d'Edouard-Wilfrid Burquet rééditée, tel était
le goût des Clair.

Suzy installa Jim dans la plus grande pièce, au
milieu de l'appartement, sur un dispositif roulant
bordé de couvertures, en compagnie de peluches et
d'objets de caoutchouc : le petit garçon pouvait très
bien, de là, observer tout le travail des déménageurs.
Puis elle circula dans l'appartement. Quand les gros
bras venaient lui demander avec douceur madame,
où est-ce qu'on met ça, elle leur souriait en haussant
les sourcils, les épaules. Et quand ils eurent presque
fini elle leur confia l'enfant quelques instants, pen-
chés en arc placide au-dessus du youpala pendant
qu'elle descendait leur chercher de la bière. Elle
tourna un moment dans le quartier avant de trouver
une épicerie arabe de garde, une toute jeune fille
tenait la caisse, Suzy eut envie de l'embrasser puis
revint chez elle par un autre chemin, elle marchait
vite, elle allait droit, elle regardait partout en serrant
le pack entre ses bras.

30

Une fois les guépards verts désaltérés puis égaillés vers leur camion, sautant sur les sièges et démarrant en soufflant de l'air entre leurs dents, Suzy rangea deux chaises autour d'une table, y installa Jim avec des feutres et se remit à tourner dans la maison. Tout en s'injectant un biscuit par le nez, Jim entreprit aussitôt de graver la cire de la table avec le mauvais bout du feutre vert, Suzy passait parfois lui emprunter le rouge pour ébaucher un plan, noter une idée pour une chambre ou le schéma de la cuisine. Puis comme l'enfant manifestait quelque impatience, éparpillant les pièces d'un puzzle trop abstrait, elle s'aperçut alors seulement qu'elle n'avait pas ôté son manteau, dès lors elle commença de regarder l'heure de temps en temps.

Elle avait allumé la chaudière en arrivant, pourtant, mais l'air ambiant restait fraîchement déménagé, et le début de tiédeur sonnait creux parmi les housses, les caisses, les meubles en transit. Suzy défit son manteau puis le blouson de Jim resté monté jusqu'aux oreilles, elle brancha la radio, l'ouvrit, resta deux secondes sur deux ou trois stations, l'éteignit. Vint le soir, elle alluma deux lampes, une banale et la Wagenfeld, puis se souvint du téléphone comme on se rappelle un animal perdu : l'appareil en effet se tapissait dans le coin le plus obscur d'une des chambres, lié par son fil au mur comme par sa laisse à un poteau le chien abandonné, l'été.

Voici la nuit, toutes les lampes allumées, Jim nourri puis couché dans un croquis de sa chambre, Suzy n'est plus qu'au téléphone. Elle appelle partout, l'ancien appartement sans cesse où cela ne répond pas, Jacqueline Monteil qui n'est au courant de rien, mais aussi son frère Jo, son amie Blanche et même un type qui s'appelle Horst et qui était plus ou moins son agent ou son amant lorsque Suzy posait pour des photos avant de connaître Oswald. Elle hésite, elle appelle le ministère mais il n'y a plus personne à cette heure-ci, juste un planton qui ne peut ni ne veut rien savoir. Elle se souvient d'un des collègues d'Oswald dont l'épouse s'était incroyablement enivrée au dîner de clôture du congrès de Vienne, elle appelle chez eux mais le collègue ne sait rien non plus, on le sent seul dans sa chambre, dans sa robe de chambre, sa femme en cure à Saint-Amand-les-Eaux. Il est tard, Suzy cesse de téléphoner, laisse respirer l'appareil, peut-être qu'Oswald essaie d'appeler de son côté.

Quand son frère Jo arrive une heure plus tard, Suzy tourne sans les regarder les pages jaunes d'un annuaire. C'est à Jo que reviendra la tâche d'appeler, toute la nuit, les hôpitaux et les commissariats en vain. Comme d'habitude, Suzy dort mal. Le lendemain elle rappelle le ministère et demande à parler au secrétaire ou à l'adjoint d'Oswald, son assistant, un collaborateur, je ne sais pas, moi, quelque chose comme ça. On lui passe quelqu'un qui lui passe quelqu'un d'autre, on la promène par une demi-douzaine de postes, deux ou trois sont toujours occupés. Au bout du compte il paraît qu'il est impossible de trouver quelque chose d'approchant dans tout l'appareil, mais la police se présente d'elle-même après que Suzy a appelé le ministère.

Les policiers n'ont pas l'air très déterminés. Ils viennent chez Suzy, Suzy va chez eux. Dans les jours qui suivent ils reviennent, elle y retourne, cela traîne, on ne trouve rien. Oswald s'est évaporé sans laisser aucune trace, comme un galet commun qui tombe dans l'océan, la nuit, personne n'est là pour témoigner de sa chute imperceptible dans le battement des eaux noires, de son clapotis nul dans le fracas, c'est comme si rien ne s'était passé. Et dès lors plus rien ne se passera sauf l'appel d'un garagiste de Villejuif, huit jours après le déménagement. Cet homme va raconter qu'on lui a laissé un break, la semaine dernière, devant le garage, avec rien dedans sauf dans la boîte à gants les clefs et les papiers du véhicule, dans une enveloppe, plus l'argent d'une semaine de parking et l'adresse d'une madame Clair, Paris dix-septième, et qu'est-ce qu'il doit faire avec cette voiture à présent ? Ensuite absolument plus rien, et six ans auront passé.

5

Ayant quitté le jardin Shakespeare ils traversèrent le bois de Boulogne, la Karmann-Ghia roulait dans l'ombre verte, l'autoradio passait du Nat King Cole et Suzy continuait de parler d'Oswald. Donc il était, tout comme Chopin, le collaborateur d'un organisme où l'on décrit des phénomènes, induit des hypothèses et découvre des lois, sauf que Chopin s'occupe des mœurs des mouches et Clair ç'avait été la politique des blocs. Homme de tact et de science, Chopin se tenait attentif à tout ce que disait Suzy de son mari, méthodiquement comme s'il était question d'un type nouveau d'aphaniptère; scrupuleusement il s'arc-boutait à sa conscience pour ne pas trop se demander aussi ce que j'en ai à foutre, de ce type.

Rue de Rome, l'enfant n'était pas là, week-end à Blois, Suzy proposa de faire du thé. Après je ne t'en parle plus, dit-elle, mais elle revint de sa chambre avec une grande boîte plate, qu'elle ouvrit : de petits photomatons d'identité flottaient à la surface d'un lit de clichés.

Clichés privés, mariage à la mairie du IVe, Suzy montre son père sur l'image, petit homme sec aux yeux voilés par quarante-cinq ans de peausserie. Clichés professionnels, à l'occasion d'une conférence ou d'un congrès à l'étranger, par exemple au colloque d'Eisenstadt Oswald se trouve en haut à droite, entre le professeur Ilona Swarcz et l'attaché militaire Asher Padeh ; au premier rang sourient les délégués Veber et Ghiglion. Clichés en quelque sorte mixtes, Suzy suivant souvent son mari lorsque de tels colloques étaient organisés dans des pays bien chauds : en marge des journées de Bogota, les voici coincés derrière une table de restaurant, sous l'objectif d'un ambulant, Suzy cille sous le flash tropical qui se reflète rudement dans un verre des lunettes d'Oswald.

Quelle que fût la photo, Oswald Clair n'avait jamais l'air très content d'être pris dans ses marges, on le sentait se cambrer toujours vers l'extérieur du cadre, happé par le hors-champ. Et tout au fond de la boîte plate, établie par les autorités canadiennes à l'occasion d'un déplacement à Vancouver, une fiche d'identité bilingue donnait quelques indications sur sa personne (5 pieds 9 pouces, 139 livres ; marques, cicatrices, tatouages, difformités : néant), avec l'impression simultanée de ses dix doigts (si une empreinte quelconque n'est pas apposée, conjecturait une mention bleue, précisez pourquoi. S'il y a eu amputation, rougissait-elle, indiquez la date).

Peu après ils s'en furent dans la chambre de Suzy, n'y parlèrent plus du tout · d'Oswald, puis Suzy retourna dans la cuisine pour préparer enfin ce thé. Resté dans la chambre, Chopin l'écoutait s'occuper de loin, pizzicato des ustensiles et gargarismes de l'eau bouillante, tout en regardant les images sur les murs, un port de mer de Joseph Vernet, un paragraphe de Saul Steinberg punaisés au-dessus du bureau. Et sur le mur d'en face, extérieur jour sur tapis sépia, quarante-trois maharadjahs posaient en 1925 à l'occasion du jubilé de Kapurthala. La photographie commençait alors de se répandre en couleurs : n'étaient quelques roses pâles et verts pâles primitifs, un jaune éventuel, un soi-disant brun, on l'eût encore crue presque en noir et blanc, au-dessus du grand lit recouvert d'un jeté citron-fraise à présent tout froissé, quelque peu fondu sous l'étreinte des personnes.

6

Le surlendemain matin, le soleil était exemplaire : barrant la route aux états dépressifs, l'anticyclone effectuait un excellent travail. Chopin venait de choisir une cravate sans motif, à peine barrée d'un filet bleu très fin dans le gris. Une fois nouée, s'apprêtant à sortir, il fit un détour par la cuisine puis par son élevage.

Les mouches étaient installées dans une carcasse de plexiglas équipée d'un thermostat, d'un thermo-mètre et d'un indicateur hygrométrique. A l'intérieur de cette carcasse, un cube de verre contenait les nymphes couchées sur un lit de sciure, et dans l'autre cube en grillage fin se croisaient les vols des insectes éclos. Deux d'entre eux justement s'étant pris de sympathie, c'était toujours intéressant pour Chopin d'observer à la loupe un bref coït avant de jeter au couple une miette de couenne.

Il disposait de son temps, sans compte à rendre

sur son travail au Muséum, à peine tenu à deux ou trois articles par an. Nul horaire car nulle femme dans sa vie car toujours indécis, Carole étant toujours trop ce que Marianne ne serait jamais assez. Dans l'ascenseur, une main plus décidée que Chopin avait inscrit *Nacera je t'aime* en grandes lettres rouges fébriles, près des boutons numérotés de sorte que leur dédicataire ne pût le rater, ce n'était pas signé mais Nacera sans doute aurait son idée. Chopin pressa le bouton du bas. Le rez-de-chaussée : la grille de l'ascenseur, trois marches, la porte vitrée, l'entrée bordée de boîtes aux lettres et le portail.

Le courrier : généralement une brochure, une facture, moins souvent une lettre manuscrite. Et presque tous les jours deux ou trois prospectus, adressés à son nom lorsque Chopin s'est par mégarde embourbé dans quelque fichier, englué dans la toile d'un listing. La plupart des locataires rejettent aveuglément ces tracts dans la grosse boîte commune, d'autres y jettent juste un œil. Par habitude et par principe, tout en faisant jouer le papier entre ses doigts comme une étoffe, Chopin les lit tous.

Outre une carte postale et le catalogue d'une librairie spécialisée de Zurich, les publicités du jour concernent un club de célibataires, un plombier, la troisième émanant d'une agence de voyages suggère pour les beaux jours une croisière adriatique, d'Otrante à Venise avec escale à Rimini. Rimini révélée, dit le tract. Nom de Dieu, pense Chopin.

Une petite fille vient de pousser avec effort le portail de l'immeuble, elle traverse l'entrée en courant, se presse dans l'escalier, ses pas reproduisent les rebonds souples d'un jeune singe dans un baobab mais Chopin n'a rien entendu : il considère encore le tract. Il le plie en quatre et le glisse dans une poche de sa veste, range le courrier dans l'autre poche et se retourne vers l'ascenseur, Nacera je t'aime, il est remonté chez lui.

Il a déplié le tract sur son bureau, sous la lampe allumée bien que le ciel s'engouffre entier par les carreaux. Il est allé chercher de l'alcool et du coton dans la salle de bains, puis dans un tiroir une lame de cutter et deux plaquettes en verre qu'il a nettoyées à l'alcool, assis à son bureau, avec soin. A présent, penché sur le tract, il grossit à la loupe le nom de Rimini, se rapprochant du point posé sur l'i central.

Calculant le meilleur angle pour détacher ce point de son support, Chopin fait glisser le tranchant de sa lame contre le signe typographique qui se décolle, qui se détache et dégringole de Rimini vers l'une des plaques de verre ; Chopin le coince sous l'autre plaque, les fixe l'une à l'autre au ruban adhésif. Puis il se lève et va chercher l'agrandisseur, rangé dans sa boîte au fond du placard de l'entrée, par terre au pied de l'aspirateur, entre les valises vides et les piles de revues, parmi vingt-six chaussures inoccupées. L'agrandisseur est très empoussiéré, il n'a rien eu à se mettre sous la lentille depuis pas mal de temps. Chopin l'époussette puis se met au travail.

Une fois développé, agrandi, projeté le micropoint dans un lecteur de diapositives, son contenu consistait en une suite de lettres dépourvues de sens immédiat, ordonnées par séries de quatre, agrémentées d'un petit carré noir par-ci par-là. Chopin lut plusieurs fois cet arrangement, cherchant dans sa mémoire deux ou trois grilles élémentaires, assez vite il trouva l'ouverture. Le texte n'était pas trop cruellement chiffré : il y accéda par la technique de la substitution à double clef, en s'aidant du tableau carré de Vigenère : « Vous n'avez pas perdu la main, déclarait le micropoint, c'est bien. » C'était signé colonel Seck et suivi d'un avis de rendez-vous, dans une heure au square Louis-XVI.

Laissant se refermer seul le portillon du square, Chopin se dirigeait donc une heure plus tard vers la chapelle expiatoire qui en occupe le centre. Au seuil de l'édifice, un gardien claudicant vêtu d'un uniforme culturel bleu lui tendit un nouvel imprimé qui décrivait ce monument décourageant, cube-temple à petit dôme qu'annonce un péristyle dorique. Chopin le lut comme les autres en descendant l'escalier au

40

bas de quoi, debout devant l'autel de marbre obscur, paraissait se recueillir un homme de soixante ans aux dents très blanches, vêtu de bleu nuit. Ça faisait longtemps, dit le colonel Seck.

— Trois ans, précisa Chopin. On ne s'était jamais vus ici, non ?

— Il est discret, ce monument, dit le colonel Seck, jamais personne. C'est tellement déprimant, les gens ne sont pas fous. Vous auriez un peu de temps, en ce moment ?

— Tout dépend, dit Chopin.

— Parfait, traduisit le colonel, je risque d'avoir besoin de vous, ces temps-ci. Ne vous éloignez pas trop.

— Mais je croyais, fit Chopin sans espoir.

— Je sais, reconnut le colonel, je sais bien.

Ils remontèrent vers la surface du sol, le gardien de la chapelle guettait en haut des marches. Il accéléra vers Seck en diagonale, négligeant Chopin, roulant d'humbles épaules et sa pupille contreplongeant sous la visière : mon colonel, dit-il, vous vous souvenez de Roquette ?

— Ma foi, dit Seck, ce nom ne me revient pas dans l'immédiat.

— Roquette, mon colonel, Blida, la nuit du 3, l'attaque surprise des rebelles et puis Roquette, mon colonel, un sanguin. Saxophoniste au 4ᵉ Génie, vous

41

ne vous rappelez pas. Il cherche quelque chose, il est ennuyé. Il voudrait bien refaire sa vie comme moi.

— Bon, je vais voir ce que je peux faire, dit Seck. Qu'il me prépare une petite note, il n'a qu'à l'envoyer là.

Il extirpa de l'intérieur de sa veste une carte minuscule, grimaçant brièvement comme s'il s'arrachait un poil superflu. Le gardien s'était encore rapproché de lui, l'iris confidentiel. Que faire, mon colonel, souffla-t-il en aparté par les narines, que faire avec vous pour le pays ? On vous fera signe, Fernandez, marmonna Seck en lui tendant impatiemment le bristol, on vous tient au courant. Soyez gentil maintenant, rompez.

Saisissant Chopin par une manche et l'entraînant vers la sortie du square, il exposa tout le souci que c'était de veiller à la retraite de ces hommes trop âgés, trop blessés pour se battre encore : bien sûr je ne suis pas tenu de m'en occuper moi-même, il y a un service pour ça, des assistantes sociales tout à fait bien, mais ça va plus vite quand ça passe par moi. Ils le savent.

Il se tut jusqu'au portillon qu'il tira, le maintenant ouvert, s'arrêtant au seuil du square pour parler à nouveau, comme on dit enfin l'essentiel à son hôte en le raccompagnant, sur le palier pendant qu'il attend l'ascenseur :

— Vous aurez toutes les instructions dans quelques jours. S'il y avait un problème, on peut toujours me joindre par la cabine de la rue Lafayette, vous savez, le coin de la rue Bleue.

Un instant il pencha son front vers ses longues chaussures noires très luisantes, s'envisageant dans son propre socle, puis il claqua des doigts dans le vide ; un taxi vert instantané freina à sa hauteur, il s'y engouffra, referma la portière avant d'articuler sa destination. La voiture verte et le colonel quittèrent le monde sensible par l'ouest du boulevard Haussmann, Chopin se mit en marche dans le sens opposé. Une très jolie fille rousse traversait le boulevard avec un sac à dos, ah non c'est un bébé, tiens, puis un café désert s'offrait rue Lavoisier. Le gérant paraissait un juge sans cause derrière son bar, Chopin choisit un siège contre la grande vitrine.

— Un express, énonça-t-il, serré. Et puis un verre d'eau.

Ces mots firent un écho dans l'établissement vide puis le silence revint, régulièrement troué par la voix synthétique d'un flipper qui rappelait sa présence en proférant la même formule toutes les cinq minutes. Bienvenue, docteur Bong.

Chopin considérait la surface de l'express, fixement comme celle d'un écran, s'y projetant un extrait de sa première rencontre avec le colonel Seck, son recrutement en d'autres termes. Il traversait un petit Sahel à cette époque et les propositions du colonel ne tombaient pas si mal, hautes en couleurs, dorées sur tranche et finement émaillées d'une pointe de chantage : elles feraient une convenable oasis, il avait accepté. Aussitôt on lui avait inculqué l'usage du micropoint, du carbone blanc, l'art de déjouer les filatures, les boîtes aux lettres mortes et toutes ces conneries. Notez que si je fais ça c'est momentané, avait-il un moment précisé, c'est juste l'histoire d'un an ou deux, notez-le bien. Vous avez parfaitement raison, s'était exclamé le colonel, un an ou deux, c'est exactement ce qu'il faut se dire. D'ailleurs les meilleurs d'entre nous, tout à fait entre nous, au départ c'est ce qu'on s'est tous dit. Bienvenue, docteur Bong.

Chopin but d'un trait cet excellent souvenir puis il se détendit sur sa chaise, fouillant ses poches il retrouva le courrier du matin qu'il décacheta à l'aide du manche de la petite cuiller. Le libraire zurichois lui adressait une recension d'ouvrages entomologiques épuisés dont il possédait quelques exemplaires — ces mouches, on finirait par savoir tout sur elles, par ne plus rien pouvoir en dire, peut-être même qu'on en était déjà là, d'ailleurs, ce qui expliquerait pourquoi Chopin disposait de tout son temps, collé comme elles contre la grande vitre. Restait la carte postale dont une face figurait l'océan au repos. Je t'attendrai mercredi soir chez moi, disait l'autre face. Suzy.

7

Mercredi soir il s'est donc présenté chez elle, c'était la première fois qu'il y venait de nuit. Suzy n'avait rien à boire qu'un fond de liqueur de sorgho, rapportée par un ami de Chine et poisseuse comme du vieux bonbon. Ils en ont quand même bu deux ou trois petits verres et jeudi matin, avant d'ouvrir un œil ils bougent déjà l'un contre l'autre encore, s'auscultent et s'explorent dans tous leurs détails, plaines et reliefs, ravins et pentes douces, échangeurs et voies sans issue, tout cela pourrait n'avoir pas de fin mais le réveil vient de sonner.

On a pris le temps de s'embrasser encore un peu puis Suzy s'est levée. Chopin l'a regardée se pencher vers une sorte de peignoir japonais : son dos très blanc semé de grains de beauté dessine le négatif d'une nuit d'été, une constellation sur l'épaule avec l'étoile polaire à la courbe de sa hanche. Ensuite elle a quitté la chambre pour aller s'occuper de Jim

— dont la sirène à douze tons d'une arme intergalactique témoigne de l'éveil depuis un moment.

Comme le lit va refroidissant, Chopin se lève à son tour, s'habille en regardant par la fenêtre sur cour. La miroiterie n'a pas encore ouvert ses portes mais la cheminée de l'autre fabrique vomit déjà son jet épais, intarissable, immaculé, comme perpétuellement chargée d'annoncer l'élection d'un nouveau pontife, un habemus papam ad libitum. Deux voitures sont garées au fond de la cour, sur leur capot lustré les façades se reflètent en s'étirant avec le ciel. Derrière la porte fermée résonnent les entrechocs de tasses du petit déjeuner.

Il achève d'ajuster ses vêtements quand Suzy rentre dans la chambre, tout habillée jusqu'à ses boucles d'oreilles réfléchissantes, ses lèvres très rouges sourient en coup de vent. Signalant à Chopin que le café est prêt, elle cherche dans un tiroir ses boutons de manchette genevois qu'elle fixe à ses poignets puis qu'elle lui montre vite en souriant à nouveau : palpitantes, quand Suzy est pressée, les aiguilles aimantées s'affolent aussi fort qu'aux abords du pôle magnétique. Elle ressort comme elle est venue, laissant la porte ouverte, ruée vers le fin fond d'une jungle avec son équipement de boussoles et de miroirs. Chopin parfait le nœud de sa cravate avant de quitter la chambre.

Vêtu d'un survêtement vert pomme où se lisaient le long de la cuisse les mots *Carolina moon* en jaune, le jeune Jim Clair était installé seul dans la cuisine, devant une solution de céréales et une cartouche de biscuits au chocolat. Il rendit son salut à Chopin, lui montra la cafetière et se replongea dans un Super Picsou Géant. Le téléphone sonnait dans la grande pièce, on entendit Suzy qui décrochait, Chopin buvait un peu de café tout en regardant autour de lui : sur un fauteuil un chat se tenait absolument tranquille comme mort.

Suzy répondait assez longuement au téléphone, son buste penché s'encadra soudain dans le cadre de la porte, retenu par la spirale du fil de l'appareil, une main posée sur le micro du combiné : Jim il est huit heures, souffla-t-elle avec force, tu te prépares s'il te plaît. Oui oui, dit Jim. J'arrive, Franck, ajouta-t-elle. Oui, sourit Chopin.

— Alors, fit Jim inopinément, elle vous plaît, ma mère ?

La cuiller de Chopin tournait seule dans sa tasse, il essaya de l'en extraire tout en réfléchissant à cette question.

— Les enfants ne parlent pas à table, se borna-t-il à suggérer.

— Les lois ont changé, rappela le jeune Jim.

Une fois Chopin reparti vers l'avenue des Ternes,

Suzy avait accompagné son fils en classe. A mesure qu'ils approchaient de l'école, sur les trottoirs la densité d'enfants croissait. D'un ton détaché, Jim disait salut à quelques-uns d'entre eux, certains le consultant au passage à voix basse, en trois mots, à propos d'une affaire de piscine ou de dictée tout en levant vers Suzy un regard circonspect ; Jim tranchait. Sa mère aussi saluait les autres mères, les jeunes et belles aux sourires conquérants, mais elle souriait aussi aux résignées.

Elle fit un grand détour par la place Malesherbes jusqu'au parc Monceau pour rentrer chez elle. Tout en marchant elle fouillait dans son sac parmi ses clefs et ses papiers, ses mouchoirs en papier, un carnet contenant une photo de Jim à cinq ans, une chaussette en laine bleue du même Jim à deux ans qui servait à contenir de la monnaie, une fiole homéopathique, deux pansements multiextensibles, une épingle à cheveux, une pince en inox, un bâton de rouge. Du sac elle retira ses écouteurs ultra-légers, qu'une tige serrait sur ses oreilles comme une patte d'araignée, puis choisit une des cassettes qui traînaient au fond du sac, un quintette en ut majeur dont elle n'écouta que le scherzo. Parmi ces bandes il y a aussi un cours Berlitz de russe, la voix de son astrologue développant le thème de Suzy pour les deux ans à venir, *Their satanic majesties request* et *Let it bleed* ainsi que les bandes-son de trois ou quatre films. Au hasard elle prit une bande-son, écouta deux ou trois répliques (« Du cognac ? En apéritif ? Pourquoi pas. ») Puis andante sostenuto elle revint au quintette en ut.

Suzy n'eut pas envie, devant le parc Monceau, de franchir l'or des grilles vers l'ordre des pelouses. Elle rentrait chez elle à présent, des ouvriers âgés sortant de la miroiterie transportaient de longues psychés sans se regarder dedans, sans plus vouloir s'intéresser à la réflexion de leur personne, de leur travail et de tout ce qui s'ensuit. En contrebas de la rue de Rome, la micheline de Dieppe croisait un train corail pour Caen.

Elle fit un peu de rangement dans la maison, la cuisine puis les chambres et par capillarité partout, regardant à peine si Chopin n'aurait pas oublié ou même laissé là, exprès, quelque objet, mais non, rien. Vers onze heures elles s'assit devant la table de sa chambre et se mit au travail, qui était ces jours-ci le rédactionnel d'un catalogue d'accessoires pour dames de luxe — travail facile et bien payé, la machine écrivait à peu près toute seule, et chaque petite sonnerie marquant la fin d'une ligne faisait part de la naissance d'un banknote joufflu. Brefs et rapprochés, deux coups de sonnette à l'entrée chevauchèrent les grelots de la machine. Ayant baissé les variétés de la radio, Suzy se leva pour aller ouvrir.

Le visiteur était un jeune homme bien bâti sous une brosse courte, une chevalière à chaque auriculaire, une chaînette d'or autour du cou. Inondé d'un after-shave très vert il souriait, respirant la santé comme s'il sortait de la douche, l'œil mi-clos par une bulle de savon restée dedans. Entrez, Frédéric, sourit Suzy avec modération puis elle se retourna vers la grande pièce, laissant ce visiteur fermer lui-même la porte d'entrée. Caramba, s'exclamait-il intérieurement en la suivant, décidément les plus belles jambes de Paris-surface. Croisant celles-ci, s'étant assise, Suzy lui désigna un siège et le visiteur prit place en détournant les yeux.

— Je crois que j'ai quelque chose, dit ce jeune Frédéric. Je vous avais dit, je crois, j'ai un ami qui a accès, je veux dire qui pourrait vous expliquer lui-même ce que peut-être, d'ici quelques jours.

— Quand ? voulut savoir Suzy.

8

Un autre surlendemain matin, Chopin se tenait chez lui, comme toujours pas trop loin de la fenêtre, inactif comme souvent tôt le matin, seul comme la plupart du temps.

Seul : tour à tour Carole et Marianne avaient vécu ici, pour en partir assez découragées au bout de quelques jours ou quelques semaines, revenant ensuite puis repartant régulièrement. Chopin ne faisait jamais rien pour qu'elles s'en aillent ou qu'elles reviennent, laissant sa porte ouverte dans les deux sens. Carole prenait des photos de mode et Marianne présentait des films à la télévision, ainsi lorsqu'elles disparaissaient de chez lui Chopin recevait parfois de leurs nouvelles indirectes. Tout les opposait quoique une fois, à trois jours d'intervalle, toutes deux lui eussent proposé de s'inscrire avec elles, grâce aux tarifs préférentiels de leurs comités d'entreprise respectifs, dans une salle de musculation.

Chopin se coupait les ongles en regardant le temps viré au gris par le carreau. Puis il était allé se prendre une banane dans la cuisine, après chaque bouchée retroussant d'un cran les quatre ou cinq lanières de peau tigrée qui recouvraient, pétales fanés, son poing fermé sur la base du fruit, détachant avec soin les filaments friables au goût de carton qui courent à sa surface en méridiens, bref pelant sa banane comme éternellement pèlera la sienne l'anthropoïde. Dans la cage aux mouches il projeta l'un des filaments.

Le bon souvenir du colonel Seck se présenta vers onze heures, à l'ouverture des boîtes aux lettres. Ce n'était plus Rimini mais le Mississipi qui recelait un nouveau micropoint fixant à Chopin rendez-vous au numéro 22 d'une allée dérobée dans le XVIᵉ. Pour s'y rendre il dut appliquer la procédure classique de dissuasion des filatures par le zigzag, et c'était encore et toujours le même cirque : et je te saute du taxi devant l'entrée d'un métro, puis d'un autre taxi dans un autre métro, et je te bondis dans la rame au dernier moment, je te rebondis sur le quai juste avant la fermeture des portes et je traverse et retraverse l'immeuble à double entrée, puis l'autre, et je reprends un taxi qui me laisse à cinquante mètres de l'allée dérobée où je parviens en nage, hors d'haleine et certain que tout ça ne sert à rien. Et je vois que le 22, construit vers 1960, est une résidence à balcons de verre fumé comme il en est moins à Paris que dans les villes de province, tout spécialement les balnéaires, et dont les retraités aiment accéder à la propriété.

Le colonel reçut Chopin dans un appartement inoccupé. L'entrée vaste était vide, à l'exception d'un portemanteau genre perroquet auquel ne tenait par son anse qu'un seau de laque blanc cassé vide. Chopin suivit son officier traitant dans un couloir à mi-chemin de quoi des bruits de plombiers discrets traversaient une porte close. Aux parois du couloir, délimitant les places des images disparues, s'accrochaient encore les punaises des anciens occupants, et de frais cartons poussés contre les plinthes devaient appartenir aux prochains. Arrêté au mois d'août dernier, ne subsistait que le calendrier publicitaire d'un sushi-bar de la rue Washington représentant deux lapins blancs sur un champ de neige et donnant l'adresse (Nishishinjuku Shinjuku-Ku) d'un autre sushi-bar à Tokyo.

Seck ouvrit la porte d'un living où deux fauteuils de bureau se faisaient face, une serviette en cuir marron glacé au pied de l'un d'eux. Sur un mur, parmi d'inutiles punaises encore plantées là, pendait solitairement un cadre neuf contenant des formes blanches et vertes. Le colonel désigna l'un des sièges à Chopin tout en marchant vers la porte-fenêtre qu'un balcon prolongeait : des fantômes de plantes s'y terraient au fond de bacs déteints, dans un cocon d'humus déshydraté. Le front du colonel pesa contre la vitre, ses yeux considéraient l'inexistante circulation des véhicules dans l'allée, une lumière de poussière terne tombait sur lui.

— Il y a des jours où le soleil me manque, dit-il. Le soleil et les tropiques, tout ça. Le sexe et les tropiques. Je m'ennuie quelquefois, vous n'imaginez pas.

Il écarta les bras d'un air navré puis revint s'asseoir en silence ; Chopin se rappelait qu'en pareille circonstance il ne lui appartenait pas de parler le premier.

— Voilà, fit enfin le colonel, j'ai un petit problème d'observation, vous voyez ce que je veux dire. En ce moment je n'ai personne sous la main qui puisse s'occuper de ça, donc j'ai pensé à vous. Je vais vous expliquer.

Voilà : rassemblant diverses délégations d'Orient et d'Occident, une réunion de responsables économiques venait de se clore à Vienne. L'un des experts n'avait pas aussitôt regagné son pays d'origine, s'accordant quelques jours de repos dans la région parisienne. Le colonel marqua une pause et se pencha vers la serviette d'où il tira deux livres. Il tendit l'un de ces ouvrages à Chopin, un assez mince volume relié, imprimé sur un papier jaunâtre qui dégageait une vigoureuse odeur industrielle, et recouvert d'une jaquette au vert stagnant portant le titre du livre et le nom de son auteur : *Perspectives du colloque d'Arkhangelsk,* par Vital Veber. Un portrait de celui-ci se trouvait reproduit sur le rabat de la jaquette : au centre d'un rectangle sombre émergeait un visage un peu flou, sans doute le détail agrandi d'une photographie de groupe. On ne distinguait pas mieux ses traits que ceux du condamné par le guichet d'une geôle obscure, ceux du souffleur au fond de son trou.

— Un type important, grogna le colonel Seck. Ancien premier secrétaire de district, secrétaire général au plan, rapporteur au comité de surface, vous voyez le genre.

Comme les bruits de plomberie venaient de s'accroître brusquement il se leva, l'air contrarié. Je reviens, prévit-il, vous pouvez jeter un œil sur celui-là aussi en attendant. Chopin saisit l'autre volume, en tous points semblable au premier sauf le titre (*Les leçons du congrès d'Anchorage*), la nuance beige délavé de la jaquette et deux infimes retouches à la photo de l'auteur. Il commença de feuilleter les deux ouvrages en prêtant l'oreille aux bruits de voix qui lui arrivaient par le couloir, provenant de la cuisine sans doute : sourde et contrariée, celle du colonel Seck semblait buter contre deux autres organes, féminins et pleins de réalisme, de bon sens et d'aplomb goguenard. Un gros silence conclut l'échange puis le colonel revint, le visage clos.

— Ces travaux, maugréa-t-il, on ne s'en sort pas. Je demande une chose simple, on dirait qu'il n'y a pas moyen. Elle est neuve, cette chaudière, elle est pratiquement neuve, qu'est-ce qu'elles ont besoin de tout changer.

Il s'énervait, Chopin continuait d'étudier le portrait de Vital Veber : faciès anciennement aigu d'universitaire, sans doute, puis graduellement empâté par les dignités, ridé par les soucis propres à tous les secrétaires généraux.

— Bon, se reprit le colonel. C'est lui, le type. Ça vous dit ?

— Pas tellement, répondit Chopin. Mais je n'ai pas trop le choix, je suppose.

— C'est ça, plaignez-vous, fit le colonel. Franchement ce n'est pas grand-chose, ce que je vous demande. Ça vous fait quoi, même pas un mi-temps, à peine un petit quart de temps, et encore. Même pas.

— Bon, dit Chopin, bon.

— Ça nous aiderait bien, développa l'autre avec tendresse, ce serait bien. Et puis ça n'est pas compliqué, ça aussi c'est bien. Il va passer une petite semaine dans un hôtel, Veber, un bel hôtel, pas loin de Paris. C'est joli comme endroit, c'est dans un parc, au bord d'un lac, c'est riant. Il faudrait juste la passer en même temps que lui, cette semaine.

Chopin ne répondit pas, tâchant en vain d'identifier le contenu du cadre accroché près de la porte-fenêtre, à l'autre bout du living : cinq rectangles blancs sur un fond vert billard.

— Je ne veux pas vous forcer, remarquez, poursuivait son officier traitant, mais enfin bon. Comme je vous ai dit, j'ai pensé à vous. Je pense à vous souvent, Chopin, je vous aime bien l'air de rien. Ça vous fait rigoler ?

— Pas du tout, dit Chopin, ça ne me fait pas rigoler du tout.

— Enfin voilà, se rembrunit le colonel, il faudrait voir un peu ce qu'il fait, ce type, les gens qu'il voit, tout ça. Peut-être voir aussi si quelqu'un d'autre n'essaie pas de voir en même temps que nous, hein.

— Tout à fait, dit Chopin. Un peu comme avec Abitbol.

Le souvenir d'Abitbol ragaillardit le gradé.

— Exactement, martela-t-il avec satisfaction, tout à fait comme pour Abitbol. En principe il voyage avec son assistant, Veber, son secrétaire, je ne sais pas trop. Qu'est-ce que je pourrais vous dire encore.

Quatre effrayants coups de masse résonnèrent sans prévenir dans le couloir, faisant trembler les

58

vitres et sursauter le colonel. Qu'est-ce qu'elles peuvent bien foutre, murmura-t-il.

— Je me demande ce qu'elles foutent, exposa-t-il à l'adresse de Chopin. Elles m'avaient fait un devis. Il était bien, ce devis. Maintenant je ne comprends plus, ça ne ressemble plus à rien.

— Il est à vous, l'appartement ?

— Venez voir, dit le colonel en se levant. Pas avec mon traitement que j'aurais pu me permettre, n'est-ce pas. Regardez voir : j'ai payé ça comme ça.

Il entraîna Chopin devant le cadre vert et blanc. Sur fond de feutrine, sous verre anti-reflets, cinq cartes à jouer formant une quinte flush s'y trouvaient disposées en éventail — sept et huit, neuf et dix de cœur gracieusement déployés de part et d'autre du valet Lahire comme des sirènes autour d'Esther Williams.

— Août 1985, Beaulieu-sur-Mer, précisa le colonel, cent trente bâtons. J'aurai connu ça. J'ai pu me payer ce truc ici, ce n'est pas très grand mais bon, de toute façon je suis en train de le revendre, puis d'autres petits trucs, un bout de terrain là-bas, chez moi. Où en étions-nous ?

— Veber, rappela Chopin. L'hôtel.

— Oui. L'hôtel. Ce serait bien qu'à l'hôtel vous puissiez vous servir encore de votre système, vous savez ?

59

— Système ? fit Chopin.

— Vos mouches, là. Vous vous souvenez ?

— Vous plaisantez, dit Chopin, c'est complètement dépassé. C'est des techniques du temps du
général Walters, ça. On fait beaucoup mieux de nos
jours.

Désappointé, le colonel avança que s'il avait bonne
mémoire la technique des mouches avait pourtant
produit d'excellents résultats, par exemple avec
Abitbol précisément, mais Chopin fit valoir que cette
technique était très limitée. Qu'une mouche ne dure
qu'un temps. Qu'une vie de mouche n'est qu'un
battement.

— Essayons quand même, insista le colonel. Essayons.

Comme un grondement sismique de machine-outil
venait de s'élever dans la cuisine, il ne put s'empê-
cher d'y inspecter les travaux tout en raccompagnant
Chopin, qui jeta un coup d'œil par-dessus son
épaule. Les deux plombières étaient courtes et
massives, leurs bonnes joues tendaient à pendre, et
pelliculés de plâtre leurs cheveux gras pendaient.
Elles n'avaient d'ailleurs pas l'air commode, l'une
déroulant le fil de cuivre entre ses rouges doigts
charcutiers, l'autre défonçant un mur à la perceuse
avec deux forets de rechange entre les dents — pareil-
les aux travailleuses réalistes socialistes elles sou-

riaient cependant, leur corps entier souriait victorieusement sous le bleu de travail gonflé à bloc.

— Qu'est-ce que c'est que ce truc, encore, s'énerva le colonel, qu'est-ce que c'est que ce trou ? Voici un trou qui n'était pas dans le devis, me semble-t-il. Pourquoi ce nouveau trou ?

— Interrupteur automatique de la chaudière, définit la perceuse. C'est la sécurité. C'est comme il faudrait peut-être voir à faire ramoner le conduit, hein, de temps en temps.

— Mais il n'y avait pas ça avant, se lamenta l'officier, ça marchait très bien sans. Et puis le fil, imagina-t-il, il va falloir un fil sur cet interrupteur. Il va se voir, ce fil. Ça va être minable.

— On vous l'encastre, assura l'autre avec jovialité, allez allez. On va vous l'encastrer.

Le colonel haussa une épaule et s'écarta vivement des ouvrières, murmurant pauvres connes dès qu'on fut assez loin. Dans l'entrée, d'une voix distraite il fit savoir qu'on se retrouverait plus tard pour les dernières instructions, ailleurs. Ici décidément c'était trop compliqué pour le moment. Enfin merci d'être venu, de toute façon. Merci.

Ce même jour, à l'heure où Chopin déshabille ses bananes, le jeune Frédéric se dirige à nouveau vers la rue de Rome. Rasé d'encore plus frais que l'avant-veille, l'étrave de son after-shave encore mieux affûtée, Frédéric fend efficacement l'air. Après qu'il a sonné deux fois, Suzy vient lui ouvrir pieds nus, serrée dans un vaste peignoir d'éponge rouge, une main sur la poignée de la porte, l'autre maintenant un carré d'éponge beige sur ses cheveux.

Elle a fait entrer le jeune homme puis s'est réfugiée dans la salle de bains en jurant distraitement contre lui. Elle a enfilé son grand pull sable, un caleçon noir et des cuissardes en daim gris-rose, et suspendu des anneaux verts de fort diamètre à ses oreilles. Lorsqu'elle est revenue dans la cuisine le silence y régnait, Jim s'étant coupé du monde et de ses relents de lotion derrière un Pif Super Comique. Après quelques vaines tentatives de contact avec lui, Frédéric s'était rabattu sur le téléviseur muet : schémas à l'appui, une météorologue auburn y agitait ses lèvres.

C'est urgent, dit le jeune homme dès que Suzy parut. Plus tard, fit-elle doucement avec un geste discret, un regard de biais vers Jim — tout à l'heure. Elle versait des corn-flakes dans le bol de l'enfant qui soudain sauta de sa chaise en reconnaissant un générique de jeu télévisé repéré comme rigolo. Non, Jim, protesta Suzy, on n'aura pas le temps. C'est très court, c'est très très court, assura Jim en montant brusquement et démesurément le son, ET QUELLE EST LA PROFESSION DE VOS PARENTS, FABIENNE ? EH BIEN MON PÈRE EST AGENT DE MAÎTRISE ET MA MÈRE EST AU FOYER. FORMIDABLE, FABIENNE, C'EST MAGNIFIQUE ET VOICI MA PREMIÈRE QUESTION, Suzy dut se mettre à crier non, non, baisse — vous voulez une pomme, Frédéric ? ça fait du bien, le matin. Il allait accepter mais elle regardait ailleurs déjà, groupant les tasses sur un plateau. Ça va être l'heure, dit-elle, habille-toi, va vite t'habiller. Puis-je vous aider, suggéra Frédéric dans le tumulte. Je te dis d'éteindre la télé, commanda fermement Suzy. AH, FABIENNE, JE SUIS DÉSOLÉ.

— Bon, dit-elle à Frédéric une demi-heure plus tard, ce n'était pas si urgent, finalement.

Ils revenaient d'accompagner Jim, ils marchaient plus lentement qu'à l'aller. Passé le rush général vers

63

les bureaux, les ateliers et les écoles, les rues étaient plus calmes, tout reprenait son souffle avant le prochain coup de feu ; les balayeurs dépoussiéraient l'asphalte avec désinvolture, à l'économe.

— C'est que mon copain, dit Frédéric, le type dont je vous ai parlé jeudi, je dois le voir tout à l'heure, je voulais vous prévenir. Il faut quand même que je vous tienne au courant.

— Je n'y crois plus trop, fit-elle d'une voix distraite, je ne sais pas.

— Vous pourriez vous intéresser un peu plus, s'insurgea timidement Frédéric, c'est de votre mari qu'il s'agit, quand même.

Elle eut un sourire blanc dans le vide, sans relief.

— Moi qui fais ça pour vous, ajouta-t-il un ton plus haut, moi qui fais ça juste parce que c'est vous. Vous en connaissez beaucoup, des types qui passent leur vie à chercher le mari de la femme de leur vie ?

Ils étaient arrivés devant chez elle et Frédéric baissait la tête avec une expression boudeuse. Suzy lui sourit plus vivement, en trois dimensions amusées. Vous êtes gentil, dit-elle en posant brièvement ses lèvres sur une joue du jeune homme, et l'un des anneaux verts pendus à ses oreilles résonna comme un gong contre le nez de Frédéric, comme la foudre au milieu du ciel pur, et l'instant d'après elle n'était plus là, disparue sous l'effet de ce baiser.

Le Parc Palace du Lac se trouve au milieu d'une étendue boisée bordant une ample nappe d'eau douce, sur laquelle un bateau plat promène parfois les pensionnaires. Cet établissement d'une vingtaine de chambres et suites met à la disposition de ses hôtes un restaurant, deux bars, trois salles de conférence ainsi qu'un service de blanchissage et de nettoyage à sec. Les salaires d'un personnel très qualifié de cuisiniers, bagagistes, téléphonistes, caméristes et autres chasseurs y justifient le coût d'une nuit. Hors du circuit des hôtels habituels, le Parc Palace est une résidence calme et retirée, souvent fréquentée par des clients incognito, trop riches et trop puissants de toute façon pour être connus du grand public. Il n'est inscrit dans aucun guide.

Le secrétaire général Vital Veber se trouve quant à lui dans une automobile Peugeot automatique, laquelle vient de s'engager dans l'allée privée menant au Parc Palace du Lac. Cet homme d'une soixantaine d'années se déplace avec son chiffreur, deux mallettes de dossiers, trois valises de vêtements ainsi qu'un appareil de transmission par ondes courtes. La compagnie d'une commission d'experts, financiers, urbanistes, économistes, juristes et autres chercheurs occupe chacun de ses jours et plus d'une de ses nuits. Toujours à l'écart des manifestations officielles, Vital Veber est un homme calme et réservé, aimable avec ses collaborateurs trop scrupuleux et trop dévoués de toute façon pour être brusqués. Son nom ne figure pas dans le Who's who.

Loin des apparatchiks, loin des paparazzi, le secrétaire général s'apprêtait à goûter quelques jours de repos mérité. Son avion, un biturbopropulseur Fairchild 227, s'était posé en début de matinée à l'aéroport d'Orly. Le chiffreur avait retiré la voiture au bureau de location puis ils étaient partis, Veber soi-même au volant de la Peugeot. Il la menait à petite allure, ayant perdu l'habitude de conduire et jamais acquis celle des boîtes automatiques. Quatre cents mètres derrière la Peugeot roulait à la même vitesse une Renault de parente cylindrée, contenant deux jeunes personnes de la sécurité nommées Perla Pommeck et Rodion Rathenau, courts cheveux blonds et vifs yeux gris, costume et tailleur souples et deux heures de mise en condition physique par jour. C'était un frais matin de grande banlieue, l'air vif était léger comme une salade, sec et limpide comme du vin blanc, il découpait très nettement les façades et se posait en douceur sur les toits.

Un moment la Peugeot fut arrêtée par un passage à niveau baissé : le nez de son capot contre la barre bicolore, sous la croix de feux rouges clignotants, ses deux occupants virent défiler les wagons, croisant les regards furtifs des voyageurs sous le triple klaxon de la motrice, deux aigus séparés par un grave à l'octave.

Vital Veber pressa le bouton d'ouverture de sa glace pour faire entrer le son dans la voiture, distordu par le mouvement du train, puis il poussa son coude vers l'extérieur, considérant deux chiens seuls au monde qui se flairaient sans habileté sur leur segment de trottoir, tournant sur eux-mêmes avec fièvre, échouant naturellement à se grimper l'un sur l'autre en même temps. Veber avait du mal à s'abstraire de ce spectacle sur lequel il s'abstint d'attirer l'attention du chiffreur, absorbé dans une carte routière étale comme un plaid sur ses genoux. A la place il fit remarquer que ça ne paraissait pas tellement changé, ici, depuis 1955. C'est vrai, dit le chiffreur. Ce coin, ils n'ont pas trop touché.

La queue du train s'étant enfuie, les barrières dégageaient la route, la Peugeot parcourut encore trois kilomètres avant d'obliquer vers l'entrée de l'hôtel. Nul panonceau ne signalait l'existence du Parc Palace du Lac, invisible depuis la départementale. Une grille sophistiquée faite de copeaux d'acier se trouvait juste encadrée par deux piliers de marbre impersonnels, graves et nets tels des majordomes, l'un d'eux décoré du bouton de l'interphone. Le chiffreur descendit de la voiture pour appuyer dessus.

— Veber, dit-il dedans. Nous avons la réservation 9.

La grille à son tour libéra l'accès à la voie étroite qui allait sinuant sous les hêtres et les frênes, parmi les cubes de buis et les carrés de pelouse. Dans tout ce vert on commença de croiser de temps en temps un homme à pied portant un club de golf, une raquette, on longea les tennis, au loin les écuries puis le terrain de croquet, le jeu d'échecs géant, bientôt on distinguait enfin le large corps vieux rose du Parc Palace, tassé sur lui-même et légèrement voûté, rassurant comme un milliardaire bon. C'est bien, dit Veber, on va être bien. Vous ne trouvez pas ça bien ? Le chiffreur hocha, gonflant ses lèvres en signe d'acquiescement mesuré.

— Le dossier nord-est, reprit Veber après un silence, vous croyez qu'on peut régler ça vite ?

— L'analyse n'est rien, répondit l'autre, c'est l'affaire d'un jour ou deux. Ce qui va prendre du temps, c'est voir si ça concorde avec le rapport de Ratine.

— C'est qu'il y a aussi le comité de surface, fit observer le secrétaire général, il y a ça. Il y a tous les amendements du bureau.

— Gardons ça pour la fin, suggéra le chiffreur. Mieux vaut examiner les amendements du comité en dernier lieu. N'oubliez pas qu'il faut d'abord tout indexer selon ces nouvelles normes Boyadjian-Goldfarb. On ne raisonne plus qu'avec ça, maintenant.

— Grands dieux, s'alarma Veber, Boyadjian-Goldfarb, j'avais complètement oublié. Vous les connaissez, vous, ces nouvelles normes ?

— Goldfarb m'a passé le protocole, dit calmement le chiffreur. Globalement, je devrais pouvoir reconstituer le système.

— Parfait, conclut Veber en tirant sur le frein à main.

Ils descendirent de la Peugeot ; déjà les bagagistes vidaient le coffre avec célérité, puis le voiturier fit s'évanouir le véhicule vers les garages au-delà d'une barre d'ormes. Vital Veber précéda son chiffreur d'une marche dans l'escalier au bas duquel s'étaient discrètement postés Perla Pommeck et Rodion Rathenau, visages impassibles et coups d'œil circulaires.

Depuis l'entrée de l'hôtel, cet escalier glissait en pente douce comme une vague mourante bue par le gravillon, bordé de balustrades à hauteur d'appui qui

69

s'évasaient dès les premières marches pour ceindre à leur faîte une longue terrasse meublée de fauteuils blancs et de guéridons blancs sous des parasols bleus. Au cœur de la terrasse, nombril du Parc Palace, protégées par un auvent de verre en forme d'éventail, quatre hautes portes ogivales et vitrées s'avançaient vers le monde en arc concave pour s'ouvrir sur le hall de l'hôtel. Et sous la verrière, cambré dans un habit de cocktail gris fer entre deux rangs de grooms rouges, le directeur du Parc Palace du Lac attendait les nouveaux arrivants.

Chaque suite était composée d'un salon, d'une chambre, d'un dressing un peu grand pour un dressing et d'une salle de bains pour famille nombreuse. Une vue dégagée sur la terrasse, les graviers et les gazons s'offrait comme prévu depuis l'appartement du secrétaire général. Dans l'après-midi, il vint rendre visite à son chiffreur chez qui, par contre, des arbres tout proches masquaient les fenêtres ; par le filtre de leur feuillage on devinait à peine, au-delà du golf, l'étendue du lac ; dans son dressing les murs étaient aveugles et pour tout jour était un lustre. On pourrait s'installer plutôt là pour travailler, suggéra Veber, ça ne vous ennuie pas ? Avec une ou deux lampes de plus, ce sera très bien. On ne va pas s'y mettre avant demain, de toute façon. A ce soir.

Seul problème au dîner, les noms des plats étaient

un peu abstraits, le secrétaire général hésitait entre l'Affété de faisan bigle sur chiffon de raiponce et le Tulle de bar Saint-Evremond sous xérès. Il questionna le chiffreur puis le maître d'hôtel, mais comme leurs hypothèses n'épongeaient pas son inquiétude il décida ce premier soir de se cantonner au nom le plus court, une chose intitulée Brouillon de macreuse Bobigny :

— Pour le vin, vous faites à votre idée. Par ailleurs je vous rassure, on ne va pas travailler tout le temps. On règle avant tout le nord-est, c'est la seule urgence, ensuite vous avez vu qu'il y a un golf, ici ? Vous jouez ?

— Peu souvent, reconnut le chiffreur.

— Personnellement deux sous le par, dit avec plaisir Veber. Je peux vous prendre un moment, si ça vous amuse, sur trois ou quatre trous. Vous ne souhaiterez pas vous éloigner de l'hôtel, je suppose — moi non plus. Juste une ou deux courses à faire à Paris dans la semaine, peut-être, et encore, sinon je ne bouge pas. C'est le calme, ici.

Tirant de sa poche un imprimé trouvé dans sa chambre et qui détaillait les services du Parc Palace du Lac, il lut à haute voix les caractéristiques du jeu d'échecs géant aperçu le matin même en arrivant : chaque case avait la taille de quatre échiquiers standard et toutes les pièces — rois et reines grandeur

nature, pions format préadolescent — étaient montées sur roulements à billes ; on annonçait pour la
saison prochaine des chevaux articulés. Ils n'ont rien
inventé, fit observer en bâillant Veber, ils ont à peu
près le même à Baden Baden.

11

A l'heure où, bien au chaud dans leur villégiature, vont se coucher les secrétaires généraux, Chopin découvrit le nouveau prospectus en rentrant chez lui, Nacera je t'aime toujours.

Très vite, comme d'habitude, Chopin n'éprouvait plus tellement de plaisir à rechercher le micropoint dans le texte du tract, à le détacher, le développer, l'agrandir puis le décrypter ; on se fatigue même de l'espionnage, très vite. C'est qu'il y a des longueurs, des corvées dans ce métier : par exemple il faudrait encore tuer quatre heures avant de se rendre à la nouvelle convocation du colonel, assez loin en banlieue.

En attendant, devant le téléviseur, Chopin fit défiler un moment les programmes en dînant d'un sandwich au poulet : une chanteuse brune, un chanteur blond, des animaux rwandais, du saut à la perche et deux séries de fiction. J'ai une marge décisionnelle indépendante de toute autorité, prévenait l'androïde principal d'une des séries. Attention ! s'affolait dans l'autre un figurant prognathe, l'ordre de tuer le monstre est annulé ! Chopin revint à la chanteuse vêtue d'un bref ensemble noir, gantée de mitaines noires — derrière elle son orchestre, trois jeunes gens lucides et détendus, souriait de toutes les touches de ses claviers.

Ensuite il prit un très long bain, pendant que d'autres chanteuses se succédaient à la radio. Immobile au creux de la baignoire, cou coupé sa tête seule dépassait du liquide parmi les filaments de mousse et les bulles, les cheveux tombés au shampooing qui flottaient à peine visibles entre deux eaux, Chopin considérait son corps réfracté dans le bloc trouble, il en recensait les différents stigmates, des cicatrices barbares aux délicates coutures, effets de la chirurgie, des accidents, des coups — il les situait et les datait, de son estafilade au genou (Baccarat, 1957) à la raideur d'un métacarpe (Canton, 1980), et puis les bleus, mais on ne sait pas toujours d'où viennent les fugaces bleus. Ce faisant il rajoutait de temps en temps de l'eau chaude en prêtant l'oreille à toutes les sortes de chanteuses de la radio, les opaques et les véhémentes, les infantiles et les revenues de tout. Quand elles eurent toutes chanté, quand il n'en resta plus, Chopin sortit du bain.

Assis sur un bras de fauteuil vers une heure du matin, armé de ses ciseaux à ongles, il décousait les marques de ses vêtements comme on le lui avait appris à faire au bon vieux temps. Rhabillé, vers deux heures il feuilletait une brochure récemment reçue, parcourant son sommaire, deux ou trois digests ainsi que la colonne d'échos relatant l'activité des sociétés savantes ; dans la bibliographie d'une étude longitudinale portant sur neuf générations de diptères antiphrisson, un des premiers articles de sa carrière était cité, consacré à la mouche des éviers [1].

Et vers trois heures il pleuvotait lorsque Chopin sortit de Paris par la porte d'Orléans. Sa voiture s'installa sur la file de gauche de l'autoroute, doublant une théorie de semi-remorques vides, puis la quitta par une bretelle bordée de panneaux qui annonçaient le marché d'intérêt national. Elle longeait ensuite la ceinture grillagée du marché, bardée de caméras chargées de renseigner sa tour centrale sur le trafic des véhicules. Dans la file d'attente au péage d'entrée, la Karmann-Ghia se tint comme une naine entre les doubles trains de pneus des semi-remorques ; sous d'autres batteries de caméras, des

1. CHOPIN (F.), « Les conditions expérimentales de la performance en autonomie de vol chez la psychode (*Psychoda alternata*) », *Annales de parasitologie*, XX, n° 6, 1972, pp. 467-473.

pancartes rappelaient en langues arabe et portugaise l'interdiction des transactions de détail dans l'enceinte du marché d'intérêt national. Passé le péage, virant devant le pavillon des fleurs coupées, Chopin fit le tour des constructions massives contenant tout ce qui se mange en Europe de l'Ouest.

Un sombre boulevard à six voies, scandé de réverbères glacés, encerclait la vaste zone marchande coupée d'allées et de rues à angle droit. En se rapprochant du centre, Chopin commença d'entrevoir entre les édifices de furtifs croquis prévisibles : des hommes vêtus de blanc sanglant se passent un demi-bœuf, quinze poissons morts pour rien mordent la poussière à l'entrée du pavillon de la marée, un cariste charme seul un serpent de cent mètres de chariots.

Lieu du rendez-vous avec le colonel Seck, le pavillon des abats a été construit à l'écart des autres, discrètement relégué de l'autre côté du boulevard circulaire. Haut comme une basilique de base et vaste comme un terrain de football australien, c'est un volume fermé à chaque extrémité par d'épaisses plaques de matière plastique molle et translucide que l'on pousse pour entrer : là se traite ce qui reste après qu'on a prélevé la viande et recyclé le squelette, ce que l'on récupère entre la chair et l'os, là se trafiquent le cartilage et le viscère, là professe un brain-trust de compétences tripières qui sondent les cœurs et les rognons.

Près de l'entrée opposée au boulevard, du côté des ateliers de casse, un rang de hautes poubelles métalliques débordait d'ossements jaunes et blancs sous les pâleurs assorties des réverbères. Chopin reconnut là, garée dans le creux d'une ombre au coin de la rue du Jour, l'Opel bleu nuit du colonel ; la ligne de poubelles se reflétait dans son pare-brise en cinémascope.

Chopin vint stationner contre l'Opel, coupa le contact et patienta. Toujours il pleuvotait. Trois minutes passèrent en même temps que trois chariots élévateurs palettisant divers produits carnés, puis une silhouette vint déverser un lot de boîtes crâniennes dans l'un des conteneurs. Après qu'elle eut réintégré le pavillon, il n'y eut alentour plus aucun mouvement jusqu'à ce que Chopin vît s'entrouvrir la portière bleue. Il ouvrit alors la sienne en silence et la pluie ne l'atteignit qu'à peine, ses pieds touchèrent à peine le sol poisseux, d'un bond il se retrouva sur le siège avant droit de la grosse Opel.

L'odeur à l'intérieur de l'habitacle était l'accord parfait du rhum des îles avec le bois des îles et le déchet de havane, de l'Aramis d'Hermès avec l'arabica ; des variétés anglo-saxonnes bourdonnaient en douceur sur l'écume chuchotée de l'air conditionné.

77

— J'aime bien cet endroit, dit le colonel Seck, c'est vivant toute la nuit, c'est professionnel, c'est bien. Prenez quelque chose, servez-vous. Cigare.

Plongeant la main sous l'autoradio, il ouvrit un oblong tiroir en palissandre contenant une flasque, un thermos nickelé, trois fioles et quatre gobelets couchés dans leurs gangues de feutre. Un peu de café, dit Chopin, merci.

— Veber est arrivé ce matin, annonça le colonel. L'hôtel n'est pas très loin d'ici, vous verrez.

Suivirent des précisions concernant les horaires et les moyens de transport empruntés par le secrétaire général. Je ne connais pas le numéro de sa chambre, regretta l'officier traitant, mais j'ai quelqu'un sur place, il vous dira. Il y a deux autres personnes qui sont arrivées en même temps que lui, bien sûr, il fallait s'y attendre. Un type avec une fille très entraînés, vous voyez ce que je veux dire.

Les variétés anglo-saxonnes venaient de s'interrompre et le colonel en cherchait d'autres en pressant le sélecteur de fréquences de l'autoradio, croisant toute sorte de musiques qui ne lui convenaient pas mais aussi des voix basses lancées dans l'éther, des disc-jockeys chevauchant le vide et dont les inflexions tendues trahissaient l'inquiétude de parler seuls sans atteindre qui que ce fût.

— C'est qui, votre type sur place ? voulut savoir Chopin.

— Mouezy-Eon, fit le colonel, vous ne vous souvenez pas de lui ? Il sera toujours là s'il vous faut un coup de main. Enfin là-dessus je ne vous garantis trop rien, hein. Il est en fin de course, Mouezy-Eon. Il fatigue.

Seck continuait de chercher la bonne musique tout en parlant, Chopin versa deux larmes de rhum dans la fin de son café puis regarda devant lui : cela continuait à légèrement précipiter dehors, les gouttelettes de pluie se fixaient immobiles sur les glaces, éparses, il leur fallait se mettre à plusieurs, se syndiquer en une grosse goutte pour gaiement dévaler ensemble le pare-brise au verso duquel, à l'intérieur de la voiture, les gouttelettes de buée s'associaient dans le même but. Il arrivait que deux gouttes de différente nature dévalent en même temps, étreintes de part et d'autre de la vitre et paraissant la scier. C'était intéressant, oui.

— Radio de merde, estima le colonel en explorant la boîte à gants. Enfin bref, vous voyez le tableau. Je veux savoir ce qu'il fout dans le secteur, moi, Veber. Vous vous débrouillerez bien.

— Mes pouvoirs sont limités, rappela Chopin.

Seck venait de retrouver une cassette qu'il fourra

dans le lecteur. Je sais bien, dit-il, mais vous ne croyez pas qu'avec vos mouches ?

— Je vous l'ai dit, rappela Chopin, c'est toujours le même problème. Elles meurent trop vite quand on les appareille, n'est-ce pas. Il faudrait qu'elles puissent tenir plus longtemps.

— On ne pourrait pas les fortifier ? s'aventura le colonel en braquant sur Chopin le mégot de son cigare. Leur donner quelque chose ?

Négligeant cette suggestion, Chopin dit que l'idéal serait d'utiliser de plus gros sujets, bien sûr. Ceux-là tiennent mieux. Mais plus c'est gros moins c'est discret, voilà le mal avec ces bêtes. Dès que c'est une mouche, on a tout de suite envie de tuer. La cassette s'était mise en marche, dévidant un pot-pourri d'œuvres d'Engelbert Hemperdinck et de Roger Wittaker, pur régal au goût du colonel Seck. Son pied battait doucement sur la pédale du frein.

— Quand même, poursuivit Chopin, je ne peux pas croire que vous n'ayez rien de plus perfectionné. Avec tout ce qu'on fait, maintenant.

— On a, dit le colonel, on a. Mais j'ai été pris de court. Sinon je pourrais disposer de tout, vous pensez bien. Tous les micros-canons, les systèmes à distance, toutes les valises qui font plein de trucs, bien sûr qu'on a. Seulement le service est surchargé ces temps-ci, tout est pris par les collègues.

Derrière eux, le trafic des camions s'était multiplié depuis un petit moment, les allées et venues d'acheteurs et de vendeurs, de détaillants et de grossistes, faisaient fourmilière autour des pavillons ; et devant eux s'intensifiaient sensiblement les va-et-vient de carcasses. Le colonel jeta un coup d'œil sur sa Patek-Philippe et rengaina son mégot dans le cendrier :

— Quatre heures moins dix, il va falloir y aller. Avec la marée qui ne devrait pas tarder, ça va nous faire beaucoup trop de monde dans le coin. Demeurons discrets. Vous commencez demain ?

Sur l'autoroute du retour aussi davantage de poids lourds circulaient, file presque ininterrompue formant une sorte sauvage de convoi militaire, défilé mercenaire aux bâches dépareillées lancé vers quelque prise de guerre alimentaire, mais ensuite dans Paris c'était assez désert. Et le long des avenues pétrifiées, le moteur du coupé résonnait plaintivement sur les façades de pierre comme un homme gémit seul entre quatre murs nus.

12

Suzy, bien sûr, n'était pas folle quand elle était petite, c'est juste qu'elle baptisait les organes de son corps : son estomac s'appelait alors Simon, son foie Judas, ses poumons Pierre et Jean. Son cœur changeait à volonté d'identité, ayant d'abord à l'âge de quatorze ans pris celle d'un nommé Robert qui avait été le premier à l'embrasser. Suzy l'avait bien aimé, Robert, il n'était pas tellement causant mais c'était sûrement lui le plus joli garçon de la Zup. Avant qu'il parvienne à l'embrasser vraiment, pendant des semaines ils s'étaient tenu la main pendant des heures, adossés côte à côte au mur près des garages, sans se parler, considérant les autres qui riaient fort en faisant vrombir leurs mobylettes gonflées à l'éther, ensuite ils se raccompagnaient indéfiniment à travers la cité, du pied d'une tour à l'autre. Après Robert, la succession de prénoms attribués au cœur de Suzy n'était plus très distincte, elle se souvenait de ceux du frère de sa correspondante anglaise, puis du fils d'un officier de gendarmerie, pas mal de bruns dans l'ensemble dont un maître-nageur assez mou mais très, très, très marrant. Gérard.

Passé vingt ans, loin de Blois, quelques histoires plus longues avaient notamment mis en scène deux peintres, Charles Esterellas puis Eliseo Schwartz, artistes dont plus tard Oswald ne saurait jamais, au fil des déménagements, où suspendre les portraits qu'ils avaient faits de Suzy. Celui d'Esterellas, sur fond de haut-fourneau, trouvait assez vite sa place dans l'entrée, mais cela se compliquait avec l'œuvre de Schwartz, un nu sous la douche qu'Oswald refusait d'exposer dans le séjour, pas plus que dans la chambre ni dans la salle de bains naturellement. Suzy ainsi regardée par ses anciens amants, au vu de tout le monde et sous les yeux d'Oswald, le couple Clair trouvait cela très encombrant mais s'entendait aussi pour ne pas s'en défaire. Le nu sous la douche traînait donc quelque temps, retourné dans un coin, puis on l'installait mieux dans le fond de la penderie, où quelques mois plus tard le haut-fourneau le rejoignait de toute façon.

En emménageant rue de Rome, Suzy avait enfoui sans même les déballer tous les tableaux dans le fond de la nouvelle penderie, et durant les six mois qui suivirent la disparition d'Oswald elle n'avait rien accroché aux murs. Puis très progressivement parurent une carte postale, un dessin de Jim, posés contre des livres ou sur la cheminée, les deux reproductions sur les murs de sa chambre et la photo des maharadjahs punaisée au-dessus du bureau.

Vers dix heures elle s'était installée devant ce bureau, deux tréteaux de fer supportant une grande vitre épaisse où se tenaient des objets également transparents — la brique en verre du cendrier, l'eau minérale en litre plastique — ainsi que d'autres plus opaques : le papier blanc, la machine noire et le transistor rouge par où, dans l'immédiat, Gerry Mulligan soufflait de l'air frais. Suzy travaillait vite et sans rien corriger. A travers les fenêtres fermées, le bruit de la ville lui parvenait comme la sourdine d'un monstrueux piano répétitif, la main gauche de l'artiste assurant, par accords continus, le bourdonnement grave des rumeurs pendant que la droite improvisait sur les motifs cliquetants et véloces, aigus et précis, fournis par les coups de pare-choc ou de klaxon dans la rue de Rome, les bris de glace de la miroiterie. Sonnerie du téléphone par-dessus tout ça.

— C'est encore moi, dit Frédéric, je peux passer ? Je suis avec un ami, pas loin de chez vous. On ne sera pas longs.

Le temps d'ouvrir et de refermer la fenêtre, ils

étaient déjà là. L'ami de Frédéric était un grand jeune homme très maigre et très timide, avec une tête d'alezan coiffée en brosse complexe, queue de canard dans la nuque et sur le front trois mèches brushées en décrochement ; sa coupe de cheveux devait constituer un poste à part dans son budget.

— Je vous présente Lucien, dit Frédéric, c'est une chance incroyable. Raconte, Lucien.

— C'est au sujet de votre mari, rougit le jeune homme.

Evitant de regarder Suzy en face, il se mit à parler : sa voix haute, un peu ébréchée, semblait produite par coups de glotte oxydée, et son récit pullulait de pauses pénibles, virgules et points-virgules pendant lesquels il avalait un peu de salive en grimaçant, avec un douloureux grincement de siphon et de longs aller-retour de pomme d'Adam. Son discours achevé, il renifla en s'aidant de la base de son pouce, point final discret, avant d'examiner en silence un de ses pieds. Suzy le considérait avec curiosité.

Mais dites-moi, demanda-t-elle doucement, comment pouvez-vous savoir tout ça. Lucien eut un regard effrayé, tordit la bouche et se tourna vers Frédéric. Il ne peut pas vous le dire, assura Frédéric paternellement. Des choses confidentielles qu'il a sues par hasard, par son travail. Si ça se savait qu'il raconte ça il pourrait le perdre, ce travail. Déjà qu'avec ses cheveux. Mais on ne va pas vous déranger plus longtemps.

Elle se leva de son siège avec un temps de retard sur eux, regardant brièvement autour d'elle, comme si elle allait descendre d'un train, pour s'assurer qu'elle n'oubliait rien. Les deux jeunes gens étaient sortis de la pièce, déjà ils l'attendaient au bout du couloir, avec un nouveau retard elle les rejoignit pour leur ouvrir, et derrière la porte il y avait Chopin, l'index levé, prêt à sonner. Suzy ferma les yeux. Ça ne va pas ? fit Chopin.

Il s'écarta, laissant passer les jeunes gens qui le saluèrent, prirent poliment congé puis s'éloignèrent en parlant à voix basse, Suzy vit Lucien se retourner vers elle juste avant l'ascenseur. Puis elle n'avait pas l'air très attentive quand Chopin lui annonça qu'il devait s'absenter quelques jours, une semaine tout au plus, une corvée : professionnellement il se voyait contraint de suivre, à Marseille, un séminaire consacré à divers parasites, punaise des lits, mite des vêtements, pou de corps. Il prit le parti de plaisanter sur la sexualité aberrante de la punaise des lits, qui accède au bonheur génital en perforant son partenaire au cours de l'acte, mais il n'avait pas l'air très sûr de lui non plus. Ça ne va pas ?

Ils se taisaient, debout au milieu du living, Chopin serrait Suzy contre lui, les yeux dans ses cheveux, n'osant pas trop demander ce qui se passait, qui étaient ces jeunes types qu'il venait de croiser. Ses yeux à elle étaient ouverts, fixant une quelconque chose translucide, blanche, invisible au commun par-dessus l'épaule de Chopin. Pourtant presque aussitôt après ils se retrouvèrent dans la chambre de Suzy, ôtant vite leurs vêtements comme sur une plage lorsque depuis l'eau vive on vous appelle et vous courez, les draps se roulent en vagues et vous plongez, flottez et nagez très longtemps, brasses papillons et brasses coulées, ensuite épuisés vous revenez, vous tombez sur le sable parmi les nœuds de serviettes éponges, silencieux et trempés vous restez allongés, pleins de sable et de sel puis de sueur, vous brûlez, vos paupières sont fermées sous le soleil qui luit, sous le ciel de lit.

13

Mardi matin, valise et mallette à la main, Franck Chopin se présenta dans le hall du Parc Palace du Lac. Pendant que le réceptionniste vérifiait la réservation sur son registre, Chopin photographia du regard les clefs des chambres suspendues au tableau pour en établir le portrait-robot.

Réservée par le secrétariat du colonel au nom de Bernard Blanchard, la chambre attribuée à Chopin associait des éléments d'hôtellerie française traditionnelle (parquet lustré, meubles anciens, gros édredon) et de confort ultramoderne international (douche pulsatile à modulateur de jet, stores et rideaux télécommandés, circuit vidéo de films pornographiques doux). Le papier peint des murs figurait un motif de fleurs discrètement tricolores, répété sur l'étoffe des fauteuils et du couvre-lit.

Faisant s'époumonner l'édredon, Chopin posa sa valise sur le lit, l'ouvrit, en retira sa trousse de toilette : entre les dents du peigne il préleva l'un de ses cheveux qu'il fixa sur la porte de l'armoire après y avoir entreposé sa mallette. Puis il se tint un moment devant la fenêtre d'où l'on distinguait bien la surface du lac, miroir piqueté de dériveurs légers, avant de redescendre au rez-de-chaussée. Par association d'idées, Chopin jeta un bref coup d'œil sur ses tempes dans le miroir de l'ascenseur — quelques nouvelles du front de la chute des cheveux.

Une petite dizaine de clients de l'hôtel se trouvaient à cette heure-ci sur la terrasse, sur les fauteuils blancs bardés de coussins vifs. Au milieu se reposaient, affalés, deux ou trois nababs dont le visage cuivré d'ultraviolet dénotait l'aisance, l'usure, accompagnés de secrétaires mammaires et d'épouses à vapeurs. En marge, auprès des balustrades, se crispait une belle dame au regard égaré, très nerveuse et très bien habillée, qu'une autre dame plus vieille et plus moche consolait. Plus près des marches était encore un couple illégitime flanqué d'un setter spécialement collant, toujours interposé comme une mauvaise conscience : pour se toucher et s'embrasser il leur fallait sans cesse éviter ce chien, repousser ce chien, se frayer un chemin dans le non-chien. Baissant les bras, les amants finirent par se lever pour s'éloigner dans le parc, accompagnés par l'animal infatigable qui bondissait entre eux, cabriolant parmi les peupliers. Resté debout près des portes de l'hôtel, sous l'éventail de verre, Chopin les suivit du regard.

En contrebas de la terrasse, posé sur son pliant, un aquarelliste d'âge mûr tachait à petits coups de brosse un format raisin fixé sur un trépied. L'une des embardées du setter manquant de bousculer le chevalet, l'amant excédé se mit à menacer discrètement de la fourrière cette bête qui les suivait toujours, qui leur gâchait le séjour. Chopin se détacha de l'entrée du Parc Palace, traversa la terrasse et descendit les marches dans la même direction.

L'aquarelliste, vu de près, n'avait pas l'air beaucoup plus vieux que les nababs vautrés, mais l'effet de l'âge avait été beaucoup plus grand sur lui, beaucoup plus gris. Vêtu de beige il peignait, son regard las se déposant en alternance sur son modèle, sur son ouvrage, avec une lueur d'étonnement navré comme qui relèverait d'un knock-out. A présent immobile, il tenait en suspens son pinceau. Chopin s'arrêta derrière lui : sur un mode appliqué, l'aquarelle représentait la façade de l'hôtel avec ses hautes portes vitrées, ses rangs de fenêtres closes dont le détail supposait des heures de soin. Sans doute installé dès le matin, l'artiste n'avait rien dû perdre des allées et venues des pensionnaires qui très souvent ralentissaient à sa hauteur, jetaient un coup d'œil critique sur l'ouvrage puis un regard de contrôle sur la façade avant de s'éloigner.

Chopin ne s'éloigna pas. Dix secondes pile s'écoulèrent puis l'autre s'anima : trempant avec agilité le pinceau dans la couleur, il fit en quelques traits s'ouvrir une fenêtre du premier étage, sur sa vitre un instant zigzagua même un reflet de jour. Puis apparut dans l'embrasure un personnage furtif, mobile, très rapidement tracé, brève intrusion du dessin animé dans la nature morte, et qui disparut presque aussitôt dans un rond noir comme font Loopy the Loop et Woody Woodpecker à la fin de l'épisode (*That's all, folks !*) Le temps de changer de couleur et par trois nouveaux traits la croisée se referma, la façade recouvra son calme d'aquarelle et rien ne s'était passé. Chopin laissa dix autres secondes s'écouler puis il remonta vers l'hôtel sans un regard vers la fenêtre où venait de s'agiter, sous les doigts volubiles de Mouezy-Eon, l'effigie de Vital Veber. Au travail, à présent.

Le cheveu jaune n'avait pas changé de place dans le sillon de l'armoire, d'où Chopin retira sa mallette. L'intérieur de ce bagage était cloisonné en compartiments : douze jeunes mouches vives voltigeaient ainsi dans un cabinet grillagé, autant de larves gisant au fond d'un autre en plexiglas. Divers alvéoles contenaient de fins outils pointus, quelques tubes et flacons, des lots de composants électroniques infimes, et trois logements plus vastes accueillaient un récepteur HF avec magnétophone incorporé, un microscope ainsi qu'un scialytique frontal. S'étant lavé les mains, Chopin déballa le matériel, passa ses mouches en revue et sélectionna trois sujets robustes.

Le difficile était de saisir l'insecte mais une fois celui-ci pris, renversé puis coincé sous l'objectif du microscope, les muscles moteurs de ses ailes et pattes inhibés par pression mésothoracique, pour Chopin c'était un jeu d'enfant de lui greffer un microphone sur le métasternum, bien centré entre les balanciers — pas plus compliqué que le réglage du radar trente ans auparavant, le soir après l'école, sur un modèle réduit de Messerschmitt ou de Spitfire au 1/72e.

Une fois appareillées, les mouches réintégrèrent leur cage lourdement, par soubresauts, rebonds, manifestement abruties par le choc opératoire. Restant d'abord posées un bon moment pour s'habituer à ce nouveau lest, deux d'entre elles finirent par décoller à nouveau, se rééduquant en voletant par brèves courbes, puis peu à peu reconstituant leur habituel parcours brisé dans l'air. La troisième ne se releva pas ; après avoir tenté sur elle quelques stimulations, miniatures de massages cardiaques, Chopin récupéra le micro sur son cadavre avant d'isoler les deux sujets plus résistants, chacun cette fois dans sa cellule individuelle pour éviter qu'en s'accouplant ils détraquent le système. Puis il chercha dans l'annuaire des adresses de fleuristes, et le plus proche était à Valenton. De même qu'il regardait parfois les films à la télévision seulement pour voir Marianne les présenter, de même Chopin se procura, dans une petite maison de la presse à l'entrée de Valenton, un magazine de mode où Carole publiait ses photos. Mais Marianne aussitôt glacée dès qu'elle quitte les sunlights du studio, mais Carole qui dès qu'elle quitte les siens brandit son verre en proférant Champagne, est-ce l'une ou l'autre que Chopin voudrait vraiment, est-ce avec l'une ou l'autre serrée contre lui qu'il pourrait essayer de visiter ses parents, plus vus depuis vingt ans ? Non, non, non.

L'aller-retour Valenton lui prit deux heures de temps. En sortant de chez le fleuriste, Chopin fit également l'acquisition chez un papetier d'un rouleau de ruban adhésif bleu, puis il déjeuna d'un Paris-beurre au bar d'un café d'angle, feuilletant son magazine près d'un jeune type et d'une grande fille décolorée qui envisageaient au kir la vie après la mort : la réincarnation, résumait le jeune type, n'est pas faite pour les chiens. Tout seul au fond de la salle, un sourd-muet soliloquait dans son langage signé, remuant discrètement ses doigts entre ses jambes au-dessous du guéridon. Rompu aux codes les plus courants, Chopin comprit que l'homme ressassait un problème conjugal, puis celui d'un règlement d'allocation, compliqué par une question de rappel.

Retour à l'hôtel, Chopin s'enferma deux autres heures dans sa chambre pour parachever son dispositif, puis il descendit faire un tour. On approchait de la fin de l'après-midi, déjà de premiers verres se commandaient au bar dans le fond duquel, devant une soucoupe d'arachides et deux quarts Vittel, étaient assis les gardes du corps du secrétaire général. Chopin les identifia comme tels instantanément.

14

La garde d'un corps de secrétaire général n'était certes pas la première mission de Perla Pommeck ni de Rodion Rathenau. Ils n'étaient pas des débutants. Blonde aux sourcils très foncés, issue d'un biotope aisé, Perla avait passé les dix-sept premières années de sa vie sur les plages chic de différentes mers intérieures. Plébiscitée miss Sébastopol en août 1980, elle avait été recrutée dès le mois d'octobre suivant par les services spéciaux qui la formèrent, pour commencer, au retournement de factotums d'ambassades. Ses aptitudes de vamp s'avérant imparfaites, on la reconvertit un an plus tard aux techniques de protection rapprochée à l'aide d'un entraînement intensif assaisonné d'anabolisants. Son langage était assez cru.

Rathenau, quant à lui, doit sa carrière à la compensation d'un handicap d'enfance. Né prématurément, vite victime d'une sévère avitaminose, si rachitique et frêle qu'à l'école on l'avait aimablement surnommé B 12, il se jura dès l'adolescence de développer sa musculature démesurément. Kinési-thérapeutes et moniteurs de sport devinrent dès lors ses seuls maîtres à penser, jusqu'à l'acquisition d'une morphologie d'acier. Hélas, une fois qu'il eut intégré le monde du renseignement, ses chefs ne crurent pas nécessaire de modifier son ancien sobriquet, jugeant au réel désespoir de Rodion que B 12 constituait un nom de code tout à fait dans le style de l'institution.

Les ayant évités, Chopin sortit du Parc Palace et contourna le corps du bâtiment vers le golf, traversant le green en direction du lac. Deux bateaux occupaient une anse minuscule délimitée par cinq mètres de jetée : un hors-bord nain, racine carrée de chris-craft, et un petit bac bordé de rampes de corde avec des bancs vissés au pont sous un dais de toile rayée. Au-delà, reflétés dans l'eau du lac, les avions gris et blancs de l'aéroport proche se succédaient dans le ciel, chacun dans son couloir sans disconti-nuer.

Chopin se tint là un petit quart d'heure, puis avant de regagner sa chambre il se retourna vers l'hôtel : des peupliers masquaient le dos du bâtiment jusqu'au deuxième étage, au-dessus duquel il repéra la fenêtre de sa chambre. Et au premier, dans la salle de travail aménagée la veille chez le chiffreur, Vital

Veber venait de refermer l'épais dossier nord-est :

— Ça va pour aujourd'hui, soupira-t-il, ça va. Je n'en peux plus, moi. Ça vous dit de venir boire quelque chose chez moi ?

Le chiffreur opina tout en rangeant les documents épars, puis ils traversèrent l'étage vers la suite de Veber qui se laissa tomber aussitôt dans un fauteuil pendant que l'autre préparait les verres. Les yeux fermés, le secrétaire général paraissait vraiment fatigué, son corps entier pesait sur l'accoudoir, il maintenait entre deux doigts la racine de son nez. On frappa à la porte.

— Soyez gentil, voyez ce que c'est, dit Veber sans lever les paupières.

C'était un groom rouge et or caché derrière un énorme bouquet, un alleluia de glaïeuls pourpres serrés dans un étui de cellophane étanche et sacciforme, qu'un large ruban fermait par un nœud compliqué ; les torsades et spirales du ruban tombaient en anglaises comme des boucles, des friselis de paraphe ampoulé. Veber ouvrit un œil et demanda qu'est-ce que c'est que ça. C'est pour qui.

— Monsieur Veber, dit le groom.

— Il n'y a pas de carte ?

Le chiffreur avait saisi le bouquet, il le faisait pivoter en disant non, pas de carte.

— Renvoyez-le, fit Veber d'une voix lasse. Et puis

non, laissez, je vais m'en occuper. Ça va me détendre. On va le mettre là, tiens. C'est qu'il faudrait un vase ou quelque chose.

Le groom revint avec un vase, un tronc de cône en cristal tout simple qu'il alla remplir au robinet de la baignoire pendant que Veber défaisait l'emballage du bouquet, libérant les deux envoyées spéciales de Chopin qui entreprirent aussitôt de butiner la bande-son. Les mains dans le dos, le chiffreur le regardait faire. Vous avez vu, dit-il, la mouche ? La quoi, fit distraitement Veber en déployant les glaïeuls en faisceau, non non. Puis il planta le bouquet dans le vase et l'y stabilisa par des amortisseurs d'asparagus. Deux étages plus haut, deux écouteurs plaqués sur ses oreilles, Chopin était heureux d'apprendre que les fleurs lui plaisaient.

Quand le chiffreur se fut retiré, le secrétaire général vida son verre et fit un peu de toilette avant d'endosser un veston d'intérieur croisé, clos par une cordelette et fourré de molleton, sur un foulard noué en jabot. Il alla et vint un moment dans la chambre, cambré, les mains glissées dans les poches du veston. Celles-ci étant cousues un peu trop haut, ses coudes saillaient de part et d'autre de son buste bombé comme des ailes atrophiées, des ailerons de pingouin. Chopin n'enregistrait pour le moment rien de bien intéressant : bruits de compte-gouttes et de brosse à dents, soupir, interjections brèves.

Vital Veber s'arrêta près de la fenêtre et l'ouvrit, comme quelques heures plus tôt l'avait représenté Mouezy-Eon qu'il aperçut, d'ailleurs, sans lui prêter grande attention : l'aquarelliste n'avait pas quitté son poste en contrebas de la terrasse, reproduisant obstinément l'hôtel jusqu'aux dernières lueurs du jour. Chopin perçut le craquement léger de la croisée, et peu après les sons ambiants tout différents — souffles du vent, chant des oiseaux, silence de l'altitude — vinrent confirmer ses craintes : évadées de chez Veber dès qu'il avait ouvert la fenêtre, les mouches émettaient à présent en direct depuis le parc. Jurant doucement entre ses dents, Chopin ôta ses écouteurs, rangea son matériel et descendit au bar prendre un verre comme tout le monde.

Au fond du hall et juste avant l'entrée du bar s'étendait un espace sans vocation précise, qu'on avait dû nommer fumoir en d'autres temps. Là se trouvaient exposés une douzaine de tableaux, dus à des peintres différents et qui figuraient tous le Parc Palace du Lac, dans l'ensemble ou dans le détail : la façade mais aussi le jardin d'hiver, un coin de terrasse, un pan de mur. Entre tous Chopin reconnut rapidement, par sa manière scrupuleuse, une œuvre inédite de Mouezy-Eon ; le cadre était tout neuf, la peinture à peine sèche, elle était là depuis peu. Une fenêtre ombragée, dans le dos du bâtiment, avait tout spécialement mobilisé l'inspiration de l'artiste. Chopin la fixa dans sa mémoire avant de rejoindre la salle du bar.

Une pianiste mûre y officiait, permanentée au millimètre, teinte et laquée au jet. Gisement opulent de fausses perles et dents, elle écossait le refrain de *September song* quand il entra. Deux des nababs aperçus le matin sur la terrasse buvaient des Pimm's au bar avec leurs secrétaires, et dans le fond de la salle se tenait toujours Rodion Rathenau, greffé au même siège, s'engraissant d'arachides et s'arrosant d'eau plate. Chopin prit place non loin des nababs, saisissant quelques bribes de leur conversation (Ah bon ? Elle a quitté son Américain ?) tout en détaillant le mobilier de cuir et de bois cirés. Aux murs, des gravures anciennes représentaient des chevaux anglais, des demi-sang tarbais, des trotteurs Orloff, et de l'autre côté du comptoir ce n'étaient qu'accessoires astiqués, patinés, vernis, que les barmen immaculés manipulaient sacerdotalement. C'était reposant, la musique était reposante, Chopin se fit servir un Bronx.

Au quatrième Pimm's il était l'heure d'aller dîner, les verres s'étaient vidés de leur contenu, le bar du sien, il convenait à présent de préparer un premier compte rendu pour le colonel Seck.

100

Une heure plus tard, la Karmann-Ghia se garait donc à l'angle des rues Lafayette et Bleue, devant une cabine téléphonique. C'est un quartier de bureaux principalement : la vie nocturne y est presque inexistante, il y a peu de lumière aux fenêtres après vingt heures et peu de passants, sinon quelques touristes européens ivres et contents de retrouver enfin l'hôtel. Chopin entra dans la cabine. A travers ses parois de verre il inspecta les deux sens de la rue Lafayette, comme pour s'assurer que personne n'allait le voir décrocher. Sauf qu'il ne décrocha pas : il composa seulement du regard le numéro de Suzy Clair sur le cadran. Tirant de sa poche le rouleau de ruban adhésif bleu, promptement il en déchira un carré qu'il colla sous le corps de l'appareil avant de sortir de la cabine.

A cent mètres de là se trouve une petite salle de cinéma qui repassait *Planète interdite,* film aimé par Chopin et tourné, en 1956, par Fred Mac Leod Wilcox ; il aurait juste le temps de manger quelque chose avant la séance de dix heures. Dans un proche bar à bière il se fit servir une Bass avec une couple de saucisses dont la peau ferme, synthétique comme du nylon, produisait des grincements inquiétants en se déchirant sous la dent.

Chopin revit donc *Planète interdite,* où l'on voit notamment se désintégrer un tigre en plein bond, gracieux dans le technicolor fraîchement inventé. En sortant de la salle, il fit un crochet par la cabine téléphonique avant de rejoindre sa voiture. Cherchant du bout des doigts sous la machine il repéra le carré de ruban adhésif, plus lisse et tiède que le métal. Il le détacha du bout de son ongle puis le considéra : sa couleur s'était transformée. Accusé de réception du carré bleu selon le code habituel, le ton jaune de celui-ci lui signifiait que le colonel serait au rendez-vous, ce soir, même endroit même heure que la dernière fois.

Sur le chemin du retour, Chopin conserva le carré jaune distraitement collé au bout de son doigt, comme ça, le tripotant comme une peau morte ou un vieux sparadrap. Et dans sa chambre au Parc Palace il apparut à l'inspection que deux nouvelles mouches étaient défuntes. Les larves n'étant pas assez mûres pour le moment, le problème de la relève n'allait pas manquer de se poser.

15

Une fois garé, trois heures plus tard, devant le pavillon des abats, Chopin n'attendit pas cette fois qu'on lui entrouvrît la portière de l'Opel : directement il monta dedans. Mais à la place du colonel Seck un autre homme se trouvait au volant, feuilletant avec patience un magazine de sport cérébral : Chopin reconnut aussitôt l'ancien combattant Fernandez, muté de la chapelle expiatoire à la voiture de l'officier. Une casquette substituée au képi, son uniforme de gardien donnait une livrée de chauffeur très convenable, la patience est un lot de ces deux professions. L'autoradio tournait.

— Le colonel est sorti un moment, dit Fernandez en désignant le pavillon, il est là-dedans. Il ne va pas tarder.

— Bon, dit Chopin, eh bien on va l'attendre.

Comme l'autre nuit, des hommes passaient vider de temps en temps leurs crânes fendus, leurs carcasses démembrées dans les hauts conteneurs : finalement, comme avant, Fernandez surveillait des ossements.

— Alors, fit Chopin. Fini, le square Louis-XVI ?

— Un ancien camarade qui cherchait quelque chose, expliqua Fernandez. Le colonel a bien voulu faire un petit geste, il est très bon, il m'a pris avec lui. C'est le camarade qui me remplace là-bas, maintenant.

A cette heure-ci, la radio ne diffusait plus qu'à voix basse quelques confidences d'auditeurs éperdus : au bout du fil, l'animatrice à la voix rauque était une mère pour eux, l'air toujours sur le point de leur chuchoter des conseils dégoûtants. Bon, dit Chopin, je vais voir ce qu'il fait. Il sortit de la voiture et se dirigea vers l'entrée du pavillon.

Passé la herse en plastique étanche éclatait brusquement le tumulte infernal de la tripe : des dizaines d'hommes au visage rouge et blanc, vêtus de noir et blanc, s'interpellaient en coupant le muscle et sectionnant le tendon, sculptant le viscère en proférant des chiffres autour de leurs étals bourrés de bacs de foies, de sacs de cœurs à prendre, séminaires de cervelles et foule de pieds, lignes de langues tirées de l'invisible, poumons à la pelle et rognons à gogo, quintaux de ris, tonnes de mou, masses de rates et milliasses de joues rouges estampillées d'un tampon vert. Chopin chercha du regard la haute silhouette sombre du colonel Seck au milieu de cette foule, puis commença de traverser le bâtiment dans sa longueur.

Vus de près, les tripiers ne semblaient pas fébriles, ils n'avaient même pas l'air de tellement travailler — on parle paisiblement des organes entre soi, on se désigne ceux qu'on expose, on les estime, on les compare, on les déplace, on en prend un de temps en temps qu'on coupe en deux, pour voir. Parfois quelqu'un passe et prononce un chiffre, on cligne de l'œil et c'est réglé, ainsi vont imperceptibles les affaires instantanées.

Au bout du pavillon, des ondes de choc s'échappaient fort des ateliers de casse de crânes, distribués par un bref réseau de corridors. C'est là que Chopin trouva le colonel Seck en train de discuter avec un casseur malien sur le seuil de son atelier, près d'un haut bidon de liquide fumant. Le colonel paraissait très en forme, à l'aise dans le trafic des crânes décervelés. Voici monsieur Touré, dit-il, qui est casseur de têtes, nous venons de faire connaissance. Son interlocuteur souriait, vêtu d'un habit noir et de très hautes bottes blanches, sa cotte de maille luisait par vagues moirées sur sa poitrine. La main de pianiste boxeur qu'il tendit à Chopin était également gantée de fer.

Le colonel Seck expliqua que vider les têtes

d'agneau de leur cervelle était la profession de monsieur Touré, qui se proposait justement de nous montrer le travail, les outils, bref comment s'y prendre, mais nous avons malheureusement à faire dans l'immédiat, regretta le colonel. Nous repasserons.

— Alors ? s'enquit-il dès qu'ils furent sortis du pavillon.

— Ça n'a pas donné grand-chose, reconnut Chopin. Le son n'était pas trop net et puis de toute façon Veber a ouvert la fenêtre, elles sont sorties tout de suite évidemment. (Le colonel grimaça.) Je vous avais dit, hein, je vous avais prévenu. Enfin je vais tâcher d'en mettre d'autres chez lui demain, mais je crois qu'il est souvent dans l'autre suite, chez le chiffreur. Je sais où c'est, maintenant, par Mouezy-Eon.

— Ah oui, fit le colonel, Mouezy-Eon. Vous avez vu sa peinture ?

— Forcément, dit Chopin.

— C'est bien, ce qu'il fait, jugea le colonel, non ? Un vrai charme, je trouve. Un vrai talent. Vous savez qu'il sculpte, aussi ?

— Eh non, dit Chopin.

— Des années que je lui conseille d'exposer, Mouezy-Eon, mais il est terrible, il ne veut pas. Bon, je ne dis pas tout de suite une galerie, bien sûr, mais par exemple un restaurant, je ne sais pas, un centre commercial avec un peu de passage pour commencer. Même dans les banques, à mon agence de Wagram ils l'ont fait, pour un pastelliste. Enfin tant pis. Vous ne voulez pas qu'on fasse un tour ?

Ils marchèrent un moment sur un bord de l'avenue circulaire, le long de quoi des cafés-restaurants entièrement vitrés montrent à toute heure leur contenu sous tous les angles, en aquarium. Sans les entendre on y voit rire, commander, s'exclamer les gens comme si le son était coupé, ou comme un drive-in tridimensionnel diffusant un film muet devant des rangs de fourgons vides et de poids lourds aveugles. Deux bâtiments hauts dominent la zone, l'usine à glace et la tour administrative qu'on devinait à peine dans le brouillard nocturne du côté de l'entrée nord. Tous les étages de la tour étaient noirs excepté le dernier : permanence de moustache sur mégot, un agent en civil y surveille à toute heure également, sur ses propres écrans, les issues du marché d'intérêt national ainsi que ses carrefours et ses points sensibles, les moindres n'étant pas les caves et salles des coffres des vingt-quatre banques alignées sous ses pieds.

Tout en marchant, le colonel fouillait ses poches : derrière le paravent nacré de sa pochette surgit la silhouette profilée Shrapnel d'un Montecristo n° 2, dont il fit sauter l'extrémité d'un coup de son porte-clefs à pince. Il l'humecta tout en considérant nostalgiquement le ciel troué d'un vol Paris-Niamey, puis il s'assit pour l'allumer sur un marchepied de quinze-tonnes.

— Revenons à notre affaire, fit-il en exhalant un long stratus, il semblerait qu'il va avoir de la visite, Veber. Peut-être demain soir. Si vous pouviez jeter un œil.

— On sait qui c'est ?

— Pas trop bien. Une femme, je crois.

— Normal qu'il fasse venir des filles, estima Chopin, il est en vacances après tout.

Le colonel secoua la tête en continuant de fumer. Resté debout, Chopin considérait le quinze-tonnes. Des filles il y en avait précisément partout dans la cabine de ce camion : photos, dessins, fanions, statuettes et décalcomanies de pin up formidables, couvertes au pire des cas d'un bikini. Celle qui était peinte sur la portière au-dessus du colonel, seulement vêtue de bottes moulantes et d'un boléro frangé, chevauchait dans le sens de la marche une motocyclette Electroglide et le vent de la course entrouvrait le boléro : seins uniques et lèvres éternelles, ce serait sûrement une fille comme ça que recevrait Veber. Secrétaire général, on se procure sans mal ces irréelles personnes.

— Est-ce que c'est bien la peine d'enregistrer,

108

dans ces conditions, fit remarquer Chopin. Quoi de plus convenu qu'une bande de cul ?

— Je ne sais pas, dit le colonel en se relevant, on ne sait jamais. Lâchez quand même une ou deux bêtes histoire de voir.

Ils se remirent en marche. Quittant le secteur des viandes puis des fruits et légumes, ils contournèrent de plus petits entrepôts qui abondaient en nourritures variées, pavillons généralistes où le demi-gros se laisse tenter par le détail. Comme ils aperçurent au fond de l'un d'entre eux l'uniforme de Fernandez en train de négocier discrètement l'achat d'un foie gras d'oie, le colonel gronda, fondit sur son nouveau chauffeur et lui confisqua l'organe en l'admonestant avec force. Les éclats de voix de son officier traitant rendaient Chopin soucieux :

— On pourrait être un peu plus discrets, vous ne croyez pas ?

Ils retournaient vers les voitures, cinq mètres devant eux Fernandez avançait en boudant, la tête dans les épaules.

— Soyez sans inquiétude, on ne craint rien, sourit le colonel Seck en faisant sauter le foie gras dans le creux de sa grande main, on est à l'aise ici comme papa dans maman.

— Je ne dis pas ça pour moi, précisa Chopin, c'est

pour vous. On pourrait vous connaître, on peut vous reconnaître.

— Vous dites ça parce que je suis noir ? envisagea le colonel.

Chopin haussa le tiers d'une épaule.

— On se revoit jeudi, fit savoir l'officier, jeudi midi, Mouezy-Eon vous fera savoir où. Si d'ici là problème, scotch bleu cabine rue Bleue, d'accord ? Elle est de quelle année, votre voiture ? On n'en voit pas tellement souvent des comme ça.

Après le départ de l'Opel, Chopin fit l'inspection d'un des conteneurs bourrés d'ossements jaunâtres frangés de lambeaux rouges et blancs coalescents : cuirassés d'outremer, d'émeraude ou de fumée selon leur arme, des escadrons de mouches à viande y patrouillaient en permanence. Chopin se pencha, se tint immobile six secondes sans respirer, puis vive comme une crampe sa main droite fendit l'air impur et six secondes plus tard il ouvrait avec la gauche la portière de la Karmann-Ghia. Déjà son poing fermé le démangeait de l'intérieur, les nouveaux éléments tambourinant contre sa paume et la suture de ses doigts. La boîte à gants contenait toujours une petite cage en gaze de laiton, Chopin y fit entrer les mouches en les comptant, l'une après l'autre comme dans un corral : sept d'un coup. Pas trop mal.

16

Adoucie par les doubles voilages au point de Tulle et les doubles vitrages à l'épreuve des balles, la lumière entrait affectueusement dans le bureau de Maryland. Les yeux brillants, les traits tirés par le manque de sommeil, le colonel Seck racontait sa nuit.

— Enfin je le revois jeudi, acheva-t-il. Je n'ai pas encore décidé où, au juste. Pas loin de cet hôtel, toujours la même zone.

Un huissier venait de paraître, transportant un opulent brunch sur un plateau de vermeil qu'il déposa sur une table basse entre eux. Maryland happa, tout de suite, trois petites fraises précoces qu'il engloutit malproprement d'une bouchée. Le colonel s'interrompit, considérant sans indulgence le fil rosé qui dégoulinait d'une commissure de son interlocuteur. Toujours soucieux de son apparence, il désapprouvait autant ces manières médiocres que la présence chronique de taches de cendre, au mieux, sur le costume gris toujours trop froissé du haut fonctionnaire. A sa place il ne ferait pas comme ça.

— Peut-être le grand cimetière qui est à côté, reprit-il, c'est assez tranquille en semaine.

— C'est à vous de voir, déglutit Maryland. Vous en êtes vraiment sûr, de votre type ?

— Ma foi, dit Seck en jaugeant l'œuf brouillé, il n'a pas très souvent servi, c'est vrai. Mais ce n'est pas grave, il n'est pas mauvais, et puis somme toute il est surtout là pour faire joli.

Le téléphone sonna très discrètement, Maryland décrocha, dit que pour le Japon c'était non puis écrasa sa Gauloise jaune avant de se beurrer un scone. Qu'est-ce qu'il sait faire, au juste ? insista-t-il.

— Plein de petites choses, assura le colonel, vous seriez étonné. C'est un scientifique mais n'allez pas croire, très bricoleur en même temps. Vous n'imaginez pas comme il est doué des doigts.

Ayant vidé son thé au lait d'un geste brusque, occasionnant une nouvelle coulée beige par l'autre commissure, Maryland déposa sur l'officier un œil inaffectif :

— Et vous comptez toujours partir, comme ça, après la fin de l'opération ?

— J'ai toujours été loyal avec le service, rappela le colonel, vous le savez. N'empêche que j'ai mes convictions comme vous savez aussi. Bien sûr que je

112

m'en vais. De toute façon c'est bon, pour l'opération, comme ça l'essentiel passera inaperçu. Et puis au moins là-bas, ce sera plus facile d'aller en Afrique autant que je voudrai.

Maryland produisit une mimique sceptique en répandant infiniment trop de marmelade sur son croûton.

— A votre aise. Si nous ne perdons pas au change.

— Ça devrait bien se passer, dit le colonel Seck, comptez sur moi.

Et vers midi le colonel sortit du ministère, ses yeux piquaient toujours un peu mais il se sentait fort, sûr et maître de lui. Cette idée de départ décidément lui plaît. Il n'y a qu'une chose, c'est qu'il voudrait gagner ou perdre encore un peu d'argent, quand même, avant de changer d'air. Alors il monte dans sa voiture et intime l'ordre à Fernandez, qui n'en peut plus, de le mener rue d'Héliopolis, vers le salon vert d'un cercle de jeu privé. C'en est un que nuit et jour beaucoup de monde fréquente, hommes bruns aux smokings près du corps et cheveux lustrés en arrière, femmes blondes aux regards ailleurs et profonds décolletés dans le dos, la clientèle affiche toujours une gravité totale, seuls sourient exceptionnellement et férocement l'un ou l'autre membre du personnel, croupiers non compris.

Au-delà des portières en velours, le colonel longea

deux petits carrés de craps ; de l'autre côté du bar on s'occupait au chemin de fer, au baccara, puis une roulette plus loin bourdonnait dans un coin, puis la boule dans un plus gros coin. Ayant choisi sa table au salon vert, composée du ténor Fred Vauvenargues et de Karlheinz Schumann, séducteur et joueur professionnel connu, avec un gros industriel chimique des Bouches-du-Rhône dans le rôle du pigeon, il se fit apporter une coupe de champagne ainsi qu'un jeu neuf. C'était à Vauvenargues de donner.

J'aime hésiter sur le sort des cartes, pensa le colonel Seck, comme j'aime les retourner, ce que j'aime les abattre. Mais il congédia là son contentement de soi : l'artiste lyrique venant de lui attribuer une variété passablement stérile de jeu sans paire, la moindre des choses était de se concentrer, au-dessus de sa tête un écriteau rappelait que MM. les joueurs de poker sont priés de faire SILENCE.

17

Chopin s'occupait cependant du nouvel arrivage de mouches, sélectionnant les plus aptes selon la vigueur de leur battement d'ailes — identifié comme un signe de joie, dès 1822, par l'abbé Pioger — et leur implantant un petit micro.

En fin de matinée, les étages de l'hôtel étaient vides, seulement arpentés par les femmes de service, leurs voix sonnaient fort dans le désordre moite des chambres encore embuées d'émanations de savon, de cirage et d'haleines. Elles aéraient, gommaient l'intimité des lits froissés, le long des couloirs elles poussaient leur chariot de linge par équipes de trois, nettoyant à la chaîne plusieurs chambres à la fois, l'une affectée aux draps et l'autre aux sanitaires, la troisième tenant en laisse l'aspirateur.

Celles du premier étage allaient attaquer le secteur comprenant la suite de Veber, et Chopin qui les suivait de loin recula vivement en apercevant Perla

Pommeck plantée à un bout de la galerie, dont Rathenau devait surveiller l'autre bout. Rencogné dans un décrochement, invisible au couple de gorilles, il continua d'observer la technique des femmes de chambre, geste par geste et linge par linge, tâchant de repérer dans la pile de draps ceux qui reviendraient au lit de Veber — assez proche d'elles pour entendre également leurs propos :

— Il est marrant, William, exposait notamment l'aspiratrice, il ne veut plus être magasinier. Il dit : je ne veux plus être magasinier.

— William il est instable, Véro, tu sais bien, diagnostiqua la voix de sa consœur amplifiée depuis le fond de la baignoire.

Véro fit la moue puis mugir son engin ; Chopin s'en fut, sachant ce qu'il voulait.

Il passa près d'une heure dans un transatlantique au bord du lac. Sur la rive opposée qui est un parc de loisirs, il aperçut des silhouettes de pêcheurs qui patientaient après la brême et le black-bass, bien que l'eau parût plutôt un liquide de synthèse, trop propre et trop froid pour être habité ; un vent de terre déréglé faisait courir à sa surface des plaques changeantes comme un doigt joue sur du velours. Fendant le plan d'eau diamétralement, parut le petit bac qui en assurait deux fois par jour la traversée : des pensionnaires du Parc Palace y étaient installés sous le dais rayé rouge et blanc, et sur le banc avant, tourné vers eux, un accordéoniste laissait s'enfuir des grappes de triples croches qui planaient à cloche-pied sur l'étendue du lac, faisant des pointes aux crêtes des vaguelettes. Et se grimpant les unes sur les autres selon le parcours aléatoire du vent, les notes n'arrivaient pas forcément à Chopin dans l'ordre prévu par la partition.

Le soir venu, après le dîner, il fit la connaissance du docteur Belsunce, homme strabique et vif qui avait au bar sa bouteille à son nom. Son ample costume bleu pétrole et son nœud papillon marine qui pendait également semblaient avoir été volés dans les vestiaires d'orchestres de danse concurrents, et le ruban vert à sa boutonnière ne commémorait rien de connu de Chopin. Derrière ses lunettes à monture épaisse, seul son œil droit très aiguisé, sévère ou farce selon les cas, restait posé sur vous pendant que le gauche allait s'asseoir ailleurs, empreint d'une expression de patience candide, confiante, absente, comme une épouse distraite qui n'écouterait jamais ce que le docteur disait.

Diététicien dans l'âme, généraliste par nécessité, Belsunce était un pensionnaire occasionnel du Parc Palace, auparavant. Puis il avait rendu quelques services, asséché des coryzas, réduit des foulures, aménagé des régimes et prescrit des substances ins-

117

crites au tableau B. Observant que son charisme amincissant s'exerçait sans trop de manque à gagner sur les grosses pensionnaires à gros revenus, la direction de l'hôtel avait fini par lui proposer le poste de médecin attitré de l'établissement, aménageant en cabinet la chambre à côté de la sienne. Le docteur y donnait ses consultations l'après-midi, consacrant ses matinées à mettre une nouvelle nage au point dans la piscine du Parc Palace. Et le soir, au bar, il vidait sa bouteille en compagnie de ses opulentes patientes imbibées d'Alexandra.

Chopin tint compagnie un moment au docteur, le temps que celui-ci raconte un peu sa vie, leurs quatre coudes en ligne sur le comptoir. La pianiste blette de l'heure du thé avait cédé la place à un organiste de son âge, dont la perruque rousse glissait d'un cran, toujours dans le même sens dans les mouvements enlevés, et l'un de ses verres de contact tombait aussi parfois sur le clavier de l'orgue Hammond : sans cesser de pétrir le tempo, il allait chercher sa lentille entre deux touches noires, crachait promptement dedans puis se la recollait sur la cornée.

Remonté dans sa chambre, Chopin déballa ses insectes et tout son matériel, se mettant ensuite à fabriquer deux petites cages sphériques de fil de fer et de bristol : grosses comme des billes d'agate et maintenues fermées par une simple pression, quand on la relâchait elles s'ouvraient. Pour se sentir un peu moins seul il avait allumé la télévision, sélectionnant un calme documentaire consacré aux papillons de la Chine méridionale. Ceux-ci, semblait-il, avaient la belle vie : le commentaire laissait entendre que bombyx à Formose, nul destin n'est plus doux. Tout à son affaire, Chopin ne suivait pas vraiment l'émission, laissant les mouches en cage les regarder seules, comme en prison les types regardent les filles des plages de la Californie.

Le lendemain matin, Chopin se retrouva au même endroit que la veille à la même heure, dans le sillage des femmes de service, content de recueillir auprès de Véro quelques nouvelles fraîches de William (Moi je lui dis : William, si tu voyais le ton sur lequel tu me parles). Pendant qu'elles nettoyaient les dernières chambres avant le couloir protégé par les gardes du corps, il s'approcha discrètement du chariot de linge, fit un calcul rapide et glissa ses petites cages entre les plis des draps qui devaient échoir au secrétaire général. Aussitôt après il regagna sa chambre, se fit apporter un plateau-repas puis coiffa ses écouteurs : rentré dans la sienne après une matinée de travail chez le chiffreur, Vital Veber s'était également fait monter quelque chose à son goût, des cornichons trapus dans un ravier, des charcuteries sous cloche et du chou chaud, du radis noir et du soda.

Le secrétaire général mangeait distraitement tout en se tenant très droit, comme s'il envisageait un but élevé. Depuis son siège il regardait la pluie, dehors, qui tombait à présent sur le parc. Il chassait, l'air absent, une petite miette blonde échouée sur sa manche, une petite mouche grise posée sur le boudin. Suspendue au-dessus de lui sur un élément de lustre, une mouche plus grosse au thorax bleu de cobalt veillait de tous ses ocelles à ce qu'il ne brutalisât pas trop sa collègue, à présent repliée derrière le pastrami.

Mus par un instinct d'ingénieur du son, les deux insectes s'étaient répartis le travail, le bleu captant l'ambiance générale de la chambre et le gris s'étant placé au plus près de Veber dont Chopin ne percevait, de toute façon, pas grand-chose de pertinent : mastication, déglutition, rares hoquets, un claquement de langue sonnant ainsi qu'un disjoncteur ou quelques mots inconsciemment articulés selon les mouvements de sa pensée, comme les mouvements de la mer font un instant saillir à l'air libre une barre de récifs, parfois — mots soufflés, mâchonnés dans une langue inconnue de Chopin, lointain idiome d'enfance dans une vaste province glacée.

Ensuite vint le silence du café, meublé de clapotis de succion, puis quelques minutes de silence digestif, puis après que des bruits de pas eurent indiqué que

Veber gagnait sa chambre, le silence de la sieste sciée de ronflements déchirants. Chopin desserra l'étau léger des écouteurs sur ses oreilles et le mit à cheval sur le dossier d'une chaise. Laissant tourner le magnétophone par sécurité, lui aussi s'étendit sur son lit après avoir jeté un coup d'œil par la fenêtre : le vent, la pluie faisaient bouillir le lac au loin.

Ils s'éveillèrent au même moment, se remirent à l'ouvrage en même temps : froissements de papiers feuilletés sans un mot pendant deux heures, Vital Veber travaillait. Carré dans un fauteuil, les jambes croisées sur l'accoudoir, Chopin l'écoutait travailler. Une fois le téléphone sonna chez le secrétaire général, qui décrocha puis dit oui, tout de suite, d'accord ; peu après on frappait à sa porte. Chopin monta le son en entendant une autre voix, sans doute celle du chiffreur qui parlait d'un dossier, de l'absence dans ce dossier d'une synthèse ou du manque de synthèse du dossier — ce n'était pas très clair, les mouches devaient prolonger leur propre sieste dans un coin éloigné.

— C'est possible, dit Veber en froissant un nouveau papier. Essayez avec ça, peut-être.

— Bon, fit la voix, je vais tâcher de voir.

Un temps : quelques instants encore Chopin n'entendit plus que la pluie qui s'abattait sans régularité, couvrant la voix sourde du chiffreur, par bourrasques brusques alternant avec de brèves accalmies, comme vidée d'un sac par quelqu'un là-haut — au rythme de sa chute on se représentait bien le mouvement des bras qui agitaient le sac. Non, dit enfin Veber, ce soir je dîne en bas. Chopin hocha la tête.

A vingt heures pile au milieu de la salle à manger vide, le docteur Belsunce était assis tout seul devant une assiette ronde avec du bœuf saignant dedans, à côté de lui son quotidien plié carré. Son œil vif déchiffrait les nouvelles pendant que le gauche gardait paisiblement le bœuf. D'aussi loin que l'un des deux aperçut Chopin, Belsunce fit un signe d'invite, désignant un couvert libre en face de lui. Chopin s'approcha, jetant un regard circulaire sur la salle à manger dont la paroi du fond, vitrée, donnait sur une terrasse où l'on pouvait manger en plein air l'été.

— Je vais devoir dîner plus tard, s'excusa-t-il, j'ai à faire. Désolé. Peut-être demain, si vous voulez. C'est bon ?

— La sauce ne veut rien dire, jugea le docteur. De toute façon moi, tout ce qui est viande rouge.

L'ayant salué, Chopin traîna un moment dans le hall. Près des portes un groom aidait une vaste cliente à enfiler sa fourrure : quoique dressé sur la pointe des pieds, il procédait avec souplesse et savoir-faire, comme s'il montait une tente en même temps qu'il langeait un nourrisson. Et dans le fumoir étaient exposées quelques œuvres nouvelles, des portraits d'inconnues pour la plupart, peints par des inconnus. Indubitablement dans la manière de Mouezy-Eon, une seule des aquarelles représentait un lieu inanimé, nature d'autant plus morte qu'elle figurait un alignement de sépultures : on pouvait lire sur la plus imposante le nom du roi Zog Ier d'Albanie. Chopin hocha la tête derechef et sortit du fumoir : la forte dame venait de trouver enfin l'entrée de la dernière manche du vison, sa main resurgissait à l'autre bout, miraculeusement crispée sur un billet de banque à la grande joie du groom.

Une heure plus tard, la salle à manger s'était remplie. Discrètement posté près de la double porte, Chopin fit l'inventaire des dîneurs : en deux jours la plupart lui étaient devenus familiers sauf un seul qu'il ne connaissait que d'ouïe. Mais il l'identifia quand même : assis au fond de la salle, dos tourné à la baie vitrée, le secrétaire général lui faisait face.

Veber avait bien la même tête que sur la jaquette de ses livres, mais l'expression de son visage était moins tragique, moins historique, banalisée par les sourires et la conversation légère. Et il souriait énormément, moindre des choses lorsqu'on souhaite conquérir une fille assise en face de vous, vêtue d'un avantageux bustier jaune et que Chopin, d'où il se tenait, ne voyait que de dos. Les épaules rondes de la fille en jaune restaient immobiles, visiblement elle réagissait très peu au discours conquérant de son vis-à-vis, secrétaire général ou pas. C'est bien cela, raisonna Chopin, ces types se paient des filles si chères qu'elles ne rient pas, qu'elles vous font le coup de la hauteur indifférente : brûlants igloos, elles semblent inaccessibles et de la sorte exercent supérieurement leur art.

Il n'était peut-être pas indispensable d'en savoir plus là-dessus, mais qu'est-ce qu'on ne ferait pas pour faire plaisir au colonel. Chopin quitta son poste d'observation, traversa le hall, sortit. Dehors il courut sous la pluie, pestant et contournant l'hôtel vers sa terrasse inoccupée, depuis sa pénombre il pourrait observer la salle à manger dans l'autre sens. Il s'approcha de la baie vitrée sans pouvoir distinguer tout de suite le visage de la fille, le dos large de Veber masquant sa location, sa possession d'un soir.

Lorsqu'un mouvement lui fit enfin l'apercevoir Chopin se figea, tout son corps d'un coup devint froid : Suzy, Suzy Clair née Moreno elle-même était assise en face du secrétaire général. Chopin resta gelé quelques secondes, son esprit pareillement gelé pendant que la pluie ruisselait sur lui. Puis il se souvint de respirer, de réfléchir, de se demander qu'est-ce qu'elle fait là, qu'est-ce que c'est que cette histoire, et d'abord qu'est-ce qu'elle fait dans ce truc jaune impossible, qu'est-ce que c'est que ce truc jaune que je n'ai jamais vu.

18

Pétrifié sous la pluie noire, Chopin les surveilla jusqu'au dessert tout en forgeant des hypothèses. Veber parlait presque tout le temps, Suzy s'exprimait peu, elle ne sourit froidement qu'une fois. Il semblait qu'il s'agît, finalement, d'une conversation sérieuse, sans apparente stratégie de séduction — mais après qu'ils se furent levés de table, qu'ils eurent quitté la salle à manger vers le hall, il était inquiétant qu'ils attendissent ensemble après le même ascenseur.

Chopin prit l'ascenseur suivant, et dans le couloir il courait vers sa chambre où rapidement il essora ses cheveux avant de coiffer ses écouteurs. Assis au bord du lit, il eut un grognement d'approbation en constatant que Veber était seul. Rien de très intéressant : eau courante et sons physiologiques ; se rapprochant audacieusement du verre à dents, la mouche grise réalisa un très gros plan du compte-gouttes. Veber poussa un gros soupir en s'asseyant sur le bord de son lit — comme en prison les types soupirent, une fois la télévision coupée, en gravant un bâton de plus dans le plâtre du mur — puis des frottis de textile précédèrent le déclic de la lampe.

Le lendemain matin, Chopin ne sortit pas de sa chambre, craignant de tomber sur Suzy, espérant surtout s'expliquer sa présence en écoutant Veber. Laissant tourner continûment le magnétophone, il resta sur son lit, les yeux au plafond, les oreilles dans la chambre du secrétaire général, sans autre geste que changer de bande magnétique toutes les heures et camoufler son matériel quand le garçon d'étage rapportait du café. Allongé sur le dos, Chopin dénombrait les bouquets tricolores qui se répétaient le long du papier peint, sur les fauteuils et les rideaux, les coussins et le couvre-lit, partout ; à trois reprises il les compta sans aboutir au même produit.

Au bout de vingt-quatre heures de mission, la première à mourir des deux mouches fut la petite grise qui s'occupait de serrer Veber de près, toujours en première ligne et donc plus agaçante, plus menacée par les mouvements d'humeur et surtout par le coup de journal, arme singulièrement redoutée par toute l'espèce en France depuis 1631. Irréfléchie malgré des siècles d'expérience, la petite grise se trouva supérieurement exposée en venant se réfugier contre la fenêtre, tout à fait à découvert, pure cible naïve sur fond transparent. Postée sur sa branche de lustre, la grosse bleue chargée du micro d'ambiance assista impuissante à la fin de sa collègue, immolée par Veber contre la vitre froide à l'aide d'un supplément économique plié dans le sens de la longueur.

Après que la mouche d'ambiance fut à son tour morte, d'un arrêt du cœur au début de l'après-midi, les micros devaient en principe continuer de fonctionner pendant quelques heures. Mais la situation de l'un, coincé sous la fenêtre entre le mur et le cache-radiateur, ne permettrait pas une très bonne transmission — et sans le savoir, d'un coup de talon Veber pulvérisa l'autre, chu parmi la haute laine à la verticale du lustre en attendant d'être aspiré par Véro.

Mis au chômage technique et las de compter les bouquets sur le mur, Chopin chercha dans sa valise le brouillon d'un article en cours consacré au stilpon, diptère d'un millimètre qui fréquente au mois de juin les abords des cours d'eau. Il transcrivait ses notes au propre à ses moments perdus, il se mit au travail sans beaucoup de conviction : comme il butait toujours sur la prochaine phrase, il se levait pour s'étendre un instant, revenait à son ouvrage et se relevait tout de suite pour chercher un verre d'eau, une bière dans le minibar, pissant au passage dans le lavabo, ouvrant le téléviseur pour aussitôt le fermer, jetant un coup d'œil par la fenêtre en direction du lac : apercevant Suzy.

Elle marchait seule au bord de l'eau, un livre à la main, encore vêtue de ce bustier jaune et d'une jupe noire qui sont aussi les couleurs du stilpon. Les jumelles de Chopin étaient assez puissantes pour détailler l'ourlet de sa jupe, tremblant sous l'air mobile de la demi-saison, mais pas pour déchiffrer le titre du livre. Après que Suzy eut disparu vers l'embarcadère, il appela la réception qui l'informa que Mme Clair occupait la suite 44 depuis la veille, mais qu'elle était sortie pour le moment. Les microphones ayant cessé de transmettre des informations de toute façon sans intérêt, il était doublement inutile de s'attarder. D'ailleurs il était l'heure d'y aller.

La Karmann-Ghia traversait ensuite un réseau banlieusard étale, plus tout à fait des routes et pas vraiment des rues. La brique et le béton, la pierre meulière et le zinc y définissaient des ateliers obscurs, des boulangeries désertes, des pavillons désespérés. Jouxtant les entreprises de sanitaires, des lots de lavabos et des piles de baignoires occupaient d'anciens jardins ouvriers. Entre les centres-villes où s'agrègent les grandes surfaces et les services, Chopin ne repérait pas toujours bien les solutions de continuité des agglomérations.

L'accès monumental du cimetière de Thiais donne

sur un large carrefour compliqué de contre-allées à sens unique, environné de chantiers et de stations-service, de terrains vagues et de parkings de véhicules industriels. Et le cimetière lui-même est un rectangle plat de cent hectares qui accueille surtout des cendres d'économiquement faibles. On y trouve également les victimes de plusieurs catastrophes aériennes, les tombes des passagers distinctes de celles de l'équipage, ainsi que les derniers condamnés à mort, leurs têtes enfouies séparément de leurs corps.

Chargés d'épaves, deux semi-remorques de chez Casse-Auto manœuvraient lentement devant le portail. Dès qu'ils eurent dégagé le passage, Chopin s'engagea dans la nécropole, emprunta l'avenue de l'Est qu'il suivit pendant un kilomètre jusqu'à la division 89. Sous les arbres qui la bordaient, il gara sa voiture derrière l'Opel du colonel.

Seul au milieu de la division, celui-ci paraissait se recueillir devant le mausolée de Zog I er, composition de piliers qui encadrent une stèle frappée de l'emblème royal, un volatile bicéphale. Chopin s'approcha de lui en inspectant les environs : personne. Seuls quelques autres volatiles vivants le regardaient arriver avec méfiance, les uns perchés sur des tombeaux mal entretenus, d'autres soustrayant nerveusement leur ver de l'humus riche — et parmi ces oiseaux nul moineau, nul pigeon, pourtant profus dans la région, même pas un merle au bec trop vif, uniquement des corbeaux et des corneilles tout noirs ; une pie dans l'air en demi-deuil, parfois.

— Alors c'était qui, cette bonne femme ? demanda le colonel Seck.

— Rien, dit Chopin, une pute comme on pensait.

— Vous me passerez la bande, hein, fit le colonel sur un ton dégagé.

— Pas de problème, dit Chopin qui possède chez lui plein de bandes en tous genres.

Puis il fit le détail de ce qu'on entend quand Veber est seul : rien de très utile en vérité. A part une demi-quinte de toux par-ci par-là, le téléviseur à l'heure des nouvelles et le chuintement des pages de suppléments économiques, vraiment peu d'événements. Et propulsée d'un rêve en pleine nuit, une seule fois, ce n'était pas une longue phrase étrangère qui avancerait à grand-chose.

— Vous me passerez celle-là aussi, de bande. On va quand même tâcher d'analyser. Et le chiffreur ?

Rien, répéta Chopin, rien que de l'insignifiant. Il prit soin de mentionner les allées et venues des deux gardes du corps, mais ne dit pas un mot de Suzy dont la présence ne regardait nullement, de son point de vue, les fonctionnaires du renseignement.

Avant de retrouver la sortie du cimetière, il s'égara

du côté de la fosse commune, friche sans décor à trois œillets en plastique près, fichés à même le sol, puis dans le secteur des dons de corps à la science que rien ne signalait qu'une plaque de marbre : quelques laboratoires y remerciaient trois hectares de bénévoles abats. Il retrouva l'avenue centrale. La nuit allait tomber. Il regagna le Parc Palace du Lac.

19

Après une douche puis son dîner qu'il s'était fait monter, Chopin jeta un coup d'œil sur les mouches survivantes mais le cœur n'y était pas. Donc il brancha le téléviseur qu'il regarda pendant près de trois heures en se forçant à suivre tout, sans se laisser distraire par aucune idée — bien concentré sur une aventure de Mannix, on arrive à tout saisir, finalement, c'est même assez facile quand on y met un peu du sien. Passant d'une chaîne à l'autre il reconnut ensuite le début de *Some came running* : un autocar traverse la campagne, transportant quelques passagers parmi lesquels Frank Sinatra, endormi sur son siège dans un uniforme de l'armée de terre. L'autocar s'arrête dans une petite ville, le chauffeur se retourne vers Sinatra et crie : « *Hey, soldier! Soldier!* » Il n'est pas loin de minuit, Chopin paraissait calme jusqu'ici mais il se lève d'un bond, coupe le son de la télévision, s'empare du téléphone et demande la suite 44. A l'autre bout du fil on décroche aussitôt.

C'est moi, dit Chopin, et comme Suzy ne répond pas tout de suite il répète que c'est lui, Franck. Sans doute va-t-elle s'exclamer c'est toi ? mais où es-tu ? comment sais-tu que je ? C'est ce qu'elle dit en effet, mais à voix basse.

— Je suis tout près, répond Chopin, l'étage au-dessous, je t'expliquerai. Il faut que je te voie.

— Non, souffle Suzy vivement, c'est impossible. Mais comment sais-tu que je suis là ?

— Je t'expliquerai, répète Chopin, je vais venir te voir.

— Mais non, coupe-t-elle, non, je t'en prie.

— J'arrive, précise Chopin.

— Je n'ouvrirai pas.

— Moi si, dit Chopin, moi j'ouvrirai.

Il raccroche et se lève aussitôt, cherche dans sa mallette un gros trousseau d'une centaine de passe-partout qu'il égrène rapidement, se rappelant le portrait-robot des clefs suspendues au tableau de la réception, très vite il trouve son homologue puis il sort de la chambre pendant que Shirley McLaine descend de l'autocar, sa peluche sous son bras, et commence à courir après Frank Sinatra.

Le long du couloir jusqu'à l'escalier, les portes alignées semblaient des armoires vides. Chopin se

mit à gravir les marches couvertes d'un tapis épais,
dans le silence épais qu'aggravait une musique étouf-
fée, lointaine, provenant sans doute du bar et presque indistincte dans la cage d'escalier, sous-entendue
comme la veilleuse d'un couloir d'hôpital — et grimpant deux par deux Chopin ressentait le bruit de son
corps comme un orchestre en marche, grosse caisse
du cœur, cymbale cloutée du souffle et maracas des
articulations. Arrivé devant le 44 il eut un temps
d'arrêt, un instant de peur ou de scrupule avant de
chercher le passe dans sa poche, puis il ouvrit silen-
cieusement la porte, entra, referma derrière lui.

A première vue c'était obscur, inhabité, aucune
lampe ne brillait, juste une télévision allumée dans le
fond donnait un peu de clarté mouvante. Des profils
de fauteuils élancés encadraient une table basse, un
grand miroir au mur doublait leurs ombres. Ayant
laissé son regard accommoder, Chopin comprit que
la 44 était une suite coudée, située à l'angle de la
façade et composée de deux pièces à angle droit. Le
téléviseur était installé dans cet angle, tourné vers
l'autre pièce invisible depuis l'entrée ; sur son écran,
Sinatra rhabillé en civil s'installait avec Shirley
McLaine chez Dean Martin où tous les trois com-
mençaient de boire énormément.

Chopin se détacha de la porte en douceur, tâchant
de ne pas bousculer les meubles, marchant vers le

téléviseur alors que Dean Martin entrait dans son bain sans ôter son chapeau. Arrivé devant l'appareil il se tourna vers l'autre pièce, tout occupée par un grand lit blanc. Je t'avais dit de ne pas venir, rappela très calmement Suzy dans la pénombre.

Chopin ne distinguait presque rien d'elle au fond du lit, ses yeux qui reflétaient l'écran, son bras nu sur le drap. Comme il s'approchait elle souffla non, il faut que tu t'en ailles, et comme il s'approchait encore elle tendit la télécommande à bout de bras vers lui, sa main fermée sur le boîtier comme sur une arme de poing. Mais il avançait toujours sous le rayon de la petite machine, indestructible ainsi que les monstres imperméables au plus puissant laser, dans les films de Fred Mac Leod Wilcox. Quand Suzy se mit à rire doucement tout en baissant sa garde, Chopin se pencha sur elle et posa ses doigts sur son épaule, sur sa nuque, elle ouvrit ses bras puis ses draps.

Jusqu'à la fin du film ils restèrent l'un contre l'autre, s'étreignant sans se parler, sauf quand Chopin voulut encore savoir qu'est-ce que c'est que cette histoire, qu'est-ce qui se passe, et Suzy lui dit je t'expliquerai demain, tout. Demain. Il faut que tu partes, maintenant. Comme ils s'embrassaient une dernière fois, *Some came running* se dénoua dans un cimetière plus avenant que celui de Thiais ; Chopin se leva pendant le générique de fin. En repassant devant le téléviseur il croisa Marianne, tout sourire sur l'écran, qui annonçait pour la semaine prochaine la diffusion d'*Undercurrent* dans le cadre de la rétrospective en cours. Elle lui souhaitait une excellente nuit.

Il se retrouva dans le couloir obscur, mais une fois la porte refermée il n'eut pas le temps d'y faire un mètre qu'une poigne puissante le saisissait par l'épaule et le plaquait solidement au papier peint, cependant qu'on pressait entre ses omoplates un petit cylindre creux.

— Allez, souffla dans son oreille la voix de Rathenau, c'est comme au cinéma. Debout contre le mur et les mains sur la tête.

S'étant exécuté, Chopin sentit une odeur d'eau de Cologne s'approcher de lui comme un spectre, puis aussitôt après une brève piqûre au creux de son bras. C'était une sensation bénigne et très peu douloureuse, mais trois secondes plus tard l'image et le son disjonctèrent et Chopin bascula dans le coma. Bienvenue, docteur Bong.

20

Chopin reprit conscience couché sur le côté, au fond du coffre d'une voiture en marche, dans la position d'un homme agenouillé renversé. Un fil de fer tendu dans son dos, reliant les menottes qui entravaient ses chevilles et ses poignets, n'autorisait que ses doigts, ses orteils et ses muscles faciaux à remuer très faiblement; et la douleur légère consécutive à la piqûre, non loin de son coude, qui lui rappelait celle que provoque le petit taon aveuglant (*Chrysops pictus*), objet d'une contribution remarquée en son temps[1], n'était rien au regard des démangeaisons. Collé sur sa bouche d'une oreille à l'autre, un large trait de sparadrap l'empêchait de se plaindre de cette situation.

---

1. BLOCH (J.-B.), CHOPIN (F.) et al., « Esquisse d'une typologie des éperons chez les ectoparasites des grands vertébrés domestiques », *Bull. Soc. Path. Exot.*, XLVI, fasc. n° 3, 1983, pp. 64-109, 11 pl., 29 fig.

Il établit que cette voiture était un break, dont le coffre se trouvait séparé de l'habitacle par une grille sommaire et solide, du modèle qu'installent dans la leur les possesseurs de chiens méchants. D'où il était, Chopin ne pouvait pas voir le conducteur du break, ni ses autres occupants éventuels. Outre les quatre temps du moteur il n'entendait rien qu'une radio en sourdine, à peine perceptible à l'avant du véhicule.

La moindre extension menaçant de scier plus profondément ses poignets et ses chevilles, Chopin se replia sur lui-même pour donner un peu de jeu à ses liens. Fléchissant la nuque, il perçut un instant quelques effluves du parfum de Suzy sur son vêtement, aussitôt évanouis sous les senteurs classiques d'essence, de poussière et de tabac froid, avec un petit souvenir d'odeur de voiture neuve dans le fond. La joue posée sur le tapis-brosse rèche, parmi les autres choses que lui dans ce coffre il reconnut, au premier plan, les habitués de ce genre d'endroit : cordes et chiffons graisseux, cric, pieuvre et bidon d'huile 10W50. Par une fraction de vitre au-dessus de lui, le jour se levait dans une section triangulaire de ciel couvert.

On devait rouler sur une autoroute, vu la régularité du parcours et les variations particulières du revêtement, perceptibles aux changements de son produits par les pneus : souffles feutrés, tremblement légers, parfois la note aiguë d'un orgue se maintenait pendant des kilomètres, parfois le rainurage provoquait de petits coups réguliers, comme si le moteur était sujet à de microscopiques syncopes. Dans le triangle de ciel Chopin vit un avion, des oiseaux, des hauteurs de camions dépassés.

C'était en effet l'autoroute du Sud que l'on remontait vers Paris. Rathenau en sortit à hauteur de Villejuif, empruntant la Route stratégique et contournant un grand ensemble rose vif avant de revenir vers l'autoroute pour s'engager dans une petite artère inanimée qui lui est parallèle. A mi-longueur de cette rue, derrière des blocs de buis disposés en chicane s'élevait une résidence de trois étages qu'un étroit corridor végétal bordait, meublé de tables et de chaises de jardin noircies de suie, surveillées par un angelot imputrescible. Nul ne devait jamais sortir là prendre l'air sous le ciel gazeux, dans le fracas de l'autoroute sur quoi donnaient, sans ménagement, les fenêtres de la résidence.

Rathenau coupa le contact de la voiture dans le garage du sous-sol : silence dans la pénombre, sous la sueur des ampoules jaunâtres. Le hayon du break fut ouvert et Chopin sentit à nouveau l'eau de Cologne de Perla qui se penchait vers lui pour ôter le fil de fer, déverrouiller les menottes de ses chevilles, avant que Rathenau le saisît par les épaules afin de l'extraire du véhicule. Au fond du garage, ponctuée par un tiret de néon, une porte métallique donnait sur un escalier brut de décoffrage. Solidement encadré par ses ravisseurs, Chopin se mit à gravir les marches aux coins jonchés de graines rouge vif de mort-aux-rats, les yeux exorbités par-dessus le sparadrap.

On ne croisa personne jusqu'au premier étage, puis Rathenau ouvrit promptement une porte donnant sur un appartement parfumé au renfermé, au pas de charge on le traversa vers une chambre qui dégageait plus nettement le rance. On y enferma Chopin après avoir libéré ses poignets, lui laissant le soin de s'écorcher lui-même les lèvres en arrachant son sparadrap. Cela fait, il inspecta la chambre.

Elle était équipée du minimum : un matelas sous une couverture, la carcasse en mousse d'un fauteuil, un lavabo sans miroir dans un angle avec un seau d'aisance en plastique ciel dessous. Probable conséquence d'une fuite aux alentours de ce point d'eau, le papier peint se défaisait en lambeaux, ses lais maintenus par un point de colle pendouillaient le long du mur comme une veste à crevés, exhibant leurs marges piquetées d'une moisissure bistre. Pas le moindre objet dur, aigu, coupant, rien ne permettait de s'attaquer aux doubles vitres de la fenêtre, épaisses comme celles d'une limousine présidentielle et délivrant pour toute perspective le dos d'un mur antibruit chargé de masquer le trafic autoroutier.

Par plusieurs portes de Paris s'en vont ainsi des autoroutes bordées de toute sorte de murs antibruit, très différents les uns des autres. Certains ondulent ainsi que des tôles mutantes, d'autres déploient des arceaux de tubulure, parfois l'un d'eux suggère un souvenir de blockhaus agrémenté de plantes grimpantes. Coiffés d'auvents, bardés d'aspérités ou de contreforts, ces ouvrages d'art s'incarnent en matériaux variés, métal, béton, plastique, faïence ou miroir, terre cuite et bois ignifugé. Diversement inclinés par rapport aux voies, d'aucuns sont aussi translucides ou presque transparents ou bien encore, comme celui-ci, juste percés de hublots vitrés d'un petit mètre de diamètre. Entre ce mur et la façade de la résidence s'étendait dans l'ombre un mince rectangle de mauvaises herbes vivaces, d'un vert wagon synthétique et luisant.

Chopin s'éloigna de la fenêtre et s'assit dans le fauteuil puis s'étendit sur le matelas. La douleur dans ses chevilles se dissipait moins vite que celle de ses poignets. Elle ne s'était pas complètement éteinte vers midi lorsque Perla Pommeck parut, l'œil hautain, sans un mot, déposant un plateau sur le sol près de la porte avant de ressortir aussitôt. Elle referma la porte à clef puis regagna la plus grande pièce de

142

l'appartement, au milieu de quoi Rathenau se concentrait sur l'examen d'un échiquier de voyage.

— Alors tu joues ou quoi ? s'impatienta Perla, tu te décides ? Qu'est-ce que tu attends pour sacrifier ce pion ?

— Je réfléchis, dit Rathenau. Tu es gentille, tu me laisses réfléchir, s'il te plaît.

Perla soupira, inspira, se laissa tomber de face à la manière d'un arbre scié sur le sol poussiéreux du séjour avant d'entreprendre une série d'extensions brachiales. Rathenau méditait, le menton dans une main, l'autre main en suspens au-dessus du pion mort d'inquiétude. Perla, cependant, pompait en comptant à voix haute.

— Vingt-neuf, trente, acheva-t-elle. Avec celles de ce matin ça m'en fait quatre-vingts. Alors tu le gardes ou pas, ton putain de pion ?

— Bon, concéda Rathenau, de toute façon je ne peux rien faire d'autre.

— Parfait, dit Perla, sautant sur ses pieds puis faisant glisser sa tour à toute allure dans une contre-allée de l'échiquier. Dommage pour ton cheval.

— Ah, reconnut Rathenau penaud, je ne l'avais pas vu, ça. Qu'est-ce qu'il fait, l'autre ?

— Qu'est-ce que tu veux qu'il fasse ? fit distraitement Perla en anticipant le prochain coup. A quelle heure on doit y être, à l'hôtel ?

Une fois que Perla avait quitté la chambre, Chopin s'était approché du plateau supportant un peu de nourriture (une orange et du poulet froid) et de lecture (un maigre ouvrage broché, corné, quadrichromique, intitulé *Mieux vivre avec son animal*). Une fois ceci feuilleté tout en mangeant cela, Chopin fouilla ses poches, qu'on n'avait pas vidées : ni son portefeuille ne manquait ni ses clefs, passe du Parc Palace compris. Chopin s'en trouva rassuré quoique humilié, aussi, de ce qu'on ne lui eût pas retiré ses objets familiers, comme si l'on faisait trop peu de cas de sa personne pour lui appliquer ces précautions élémentaires ; pour tuer le temps il relut tous ses papiers d'identité. Puis il s'était encore posté devant la fenêtre, tâchant d'identifier les marques des voitures dont il voyait filer des bribes par le hublot percé dans le mur antibruit, éclairs de couleur fugitifs, illisibles comme des photos floues. Il n'en reconnut pas une à l'exception d'une longue ambulance immaculée, fuselée comme un missile, tous phares et gyrophares dehors, lancée le long de la bande d'arrêt d'urgence de l'autoroute.

Torse nu sous sa blouse blanche au col relevé, c'était un fier Antillais de vingt-trois ans qui pilotait sportivement cette ambulance. A côté de lui se tenait, de guingois sur son siège, le docteur Belsunce dont le strabisme autorisait une double surveillance du trafic et de la dame allongée à l'arrière du véhicule prioritaire. Voix de tête plaintive et lèvres pincées, nez maigre et front très dégagé, mélancolie fragile dans l'œil, cette dame qui ressemblait pas mal à Orane Demazis se plaignait que cela n'allait pas trop, docteur, que cela tournait. Le praticien répondit que ce n'était rien, madame Belon, qu'il était tout à fait normal que cela tournât. A la clinique ils vont arranger ça. Arrêtez la sirène, Florimond, bon Dieu. On ne s'entend plus.

La CX blanche continua de doubler les véhicules à droite jusqu'à la porte d'Orléans, et de là se greffa sur le périphérique intérieur qu'elle remonta comme un saumon le cours de la Garonne, l'ambulancier ne se privant pas de pousser la sirène à fond jusqu'à la porte d'Auteuil. Ayant remis sa patiente entre les grilles de la clinique Roussel-Müller, Belsunce se fit ensuite ramener au Parc Palace : ce n'est vraiment pas la peine, Florimond, baissez un peu. Plus rien ne justifie ce bruit.

En traversant la terrasse de l'hôtel le docteur serra quelques mains, banalisant quelques symptômes qu'au passage on envisageait de lui faire interpréter à l'œil. Parvenu dans le hall, il s'approcha de la réception sur un signe du concierge. Le concierge était mince et finement moustachu, des clefs d'or croisées agrémentaient les boutonnières de son élégant costume moutarde.

— Il y a encore une autre dame qui ne se sent pas très bien, annonça-t-il. Elle souhaiterait vous voir.

— Tout à fait, dit Belsunce, parfait. Dans une demi-heure à mon cabinet.

Lequel était meublé Empire, et tapissé d'un papier peint verticalement rayé bronze et paille. Des cadres aux murs contenaient des gravures, des portraits au fusain, des photos dédicacées de femmes du monde et de pétroliers. Balisés par des bocaux pharmaceutiques anciens (extraits de laponaire et d'armoise, de stramonium et de séné), des mètres de reliure couraient sur des rayons de part et d'autre du bureau, à la surface duquel un bol imité de l'antique contenait une plume d'oie rouge dépenaillée, deux stylographes de marque et quelques souvenirs dont une prothèse de hanche montée en stylomine.

Ayant changé de nœud papillon, le docteur prit place derrière ce bureau en s'attendant à sa prochaine patiente dont l'archétype n'est qu'une épouse caquetante, jabotante et baguée, à laquelle il prescrit toujours les mêmes grains. On frappa, il se leva pour ouvrir : jupe et boléro noirs, de brefs éclats de miroir fixés à ses oreilles, Suzy Clair ne correspondait pas au signalement habituel. Alors, fit Belsunce avec son bon sourire, qu'est-ce qui ne va pas ?

Fidèle à sa technique clinique, le docteur entreprit d'apaiser sa patiente lorsqu'elle eut exposé ses troubles du sommeil : une mauvaise nuit ce n'est qu'une mauvaise nuit, chacun son rythme, pas de règles en ce domaine, autant de personnes autant de réactions. Voyait-elle un peu de monde ? Il est bon de voir du monde, converser fatigue, ensuite on dort bien mieux. Pratiquait-elle un quelconque sport ? Il lui parla de cette nouvelle nage qu'il essayait de mettre au point, une dérivée de l'indienne à battements latéraux. Puis il faudrait qu'elle se promène dans la région, on ne croirait pas mais c'est plein de jolies choses, des châteaux par exemple, encore quelques petits châteaux, il lui prêterait à l'occasion sa Toyota. Une bonne petite voiture.

— En attendant, renifla-t-il en grattant sur son bloc, je vais vous prescrire une nouvelle molécule. Et puis attendez, il doit me rester aussi quelques échantillons.

Fouillant longuement dans son tiroir, il finit par en extraire un étui vert clair qu'il tendit à la jeune femme par-dessus le bureau. Essayez toujours ça, vous commencez par un quart au coucher, vous repassez me voir si ça ne va pas.

Le téléphone s'énervait seul quand Suzy rentra dans sa chambre. Au bout du fil, à l'évidence, le

147

secrétaire général ne savait pas très bien comment se présenter :

— Veber, Vital Veber. Enfin Vital, si vous préférez.

— Vous avez des nouvelles ? demanda Suzy.

— Peut-être demain, répondit Veber. Au fait, le type qui vous embêtait, vous savez ? Vous voyez qui je veux dire ? Bon, il devrait vous laisser tranquille, maintenant. Il a quitté l'hôtel.

Il raccrocha tout en souriant à la porte qui s'entrouvrait : Perla venait de glisser sa tête par l'ouverture. Tout va bien ? demandait-elle.

21

A son tour, à son rythme lent, Mouezy-Eon roulait
sur la voie de droite de l'autoroute du Sud. Peu avant
la sortie de Villejuif, il gara sa R8 à bout de force au
pied du mur antibruit et pressa la touche *warning* qui
déclenche un tutti de clignotants. Puis il coupa le
moteur avant d'aller chercher au fond de la boîte à
gants l'une des petites statues qu'il fabriquait à ses
moments perdus dans toute sorte de matières, du
bronze à la mie de pain, et qu'il hésitait énormément,
comme d'habitude, à exposer, même dans le discret
fumoir du Parc Palace. D'un format de soldat de
plomb, celle-ci représentait un homme à l'expression
ferme quoique souple, décidément dressé sur son
socle : ses lèvres minces et ses yeux très légèrement
bridés rappelaient assez ceux du secrétaire général
Veber.

Mouezy-Eon considéra quelques instants son
modelage, de l'ongle de son pouce il infléchit douce-

ment l'arête nasale trop busquée du sujet, qu'il glissa dans sa poche avant de s'extirper avec effort de la R8 en se maintenant les reins d'une main. Il fit jouer une tirette sous le capot qu'il laissa béant, gueule ouverte, puis contourna le véhicule et retira du coffre un triangle d'alarme rouge plié dans un étui de plastique bleu : il déplia l'objet qu'il s'en fut déposer, dressé sur sa petite béquille frêle, à dix mètres derrière la R8. Il procédait lentement par mouvements las, serrant le col de son manteau, consolidant le nœud de son écharpe et ne pensant à cet instant qu'à son fils unique, conseiller fiscal en instance de divorce à Laval : pas sûr que Jean-François supporte sans mal cette séparation. Pour sa part, Mouezy-Eon n'avait jamais tellement sympathisé avec Jocelyne.

Les voitures passaient à grande vitesse tout près de lui, l'éclaboussaient de leurs vagues déferlantes d'air froid, de poussière et de vrombissement pleuré. Une fois mis en scène le simulacre de panne, Mouezy-Eon se mit en marche le long de la bande d'arrêt d'urgence vers le hublot dans lequel, depuis la fenêtre de sa geôle, Chopin vit s'encadrer quelques instants plus tard le visage fatigué du vieux peintre amateur.

Après un discret signe de la main, Mouezy-Eon contourna l'écran de protection phonique et traversa la zone de mauvaises herbes ; par capillarité, l'humi-

150

dité faisait monter de sombres zones stalagmitiques sur ses chaussures en daim spongieux. Se maintenant à l'écart des rez-de-jardin désolés, il longea la résidence jusqu'à son portail avant d'y pénétrer et de monter calmement, normalement, l'escalier de cet immeuble comme s'il était le sien.

Au premier étage, avant toute chose il fallait vérifier que personne ne pourrait témoigner de ce qui allait se produire. Mouezy-Eon sonna sans hésiter chez les voisins d'en face, prêt à produire une carte professionnelle du Gaz de France, détection des fuites, état des tuyaux. Mais à quinze heures et quelques chacun se trouvait à son travail, son école ou sa crèche, le coup de sonnette ne suscita que des mouvements de menton méfiants de chats drogués au kangourou haché, abrutis sur leurs coussins de kapok malpropres.

Mouezy-Eon retira la statuette de sa poche. L'ayant une dernière fois considérée, il haussa les épaules puis lui arracha le bras droit qu'il remodela en forme de boudin. Introduisant dans la serrure ce petit cylindre — banal amalgame d'hexogène de pentrite et d'élastomère —, puis y adaptant un minuscule détonateur, il dut s'y reprendre à plusieurs fois pour le faire sauter : après deux ou trois longs feux la charge finit par déflagrer avec un bruit furtif, incongru, de pot d'échappement déréglé.

Entré dans l'appartement, le préretraité examina les lieux, sans se presser pour aussitôt libérer Chopin. Jaugeant l'état de la partie laissée en plan, il eut un coup d'œil indulgent sur la position du fou noir, suivi d'un autre plus intéressé sur les reproductions d'Eustache Le Sueur, de Jacques-Charles de Bellange et de Lubin Baugin punaisées sur les murs du séjour. Une demi-douzaine d'ouvrages traînaient aussi sur un rayon d'aggloméré : parmi quelques numéros spéciaux du magazine *Quatre pattes !* il déchiffra des titres tels que *J'éduque mon basset, Danois et mastiffs* ou *La parole en moins.* L'appartement semblait avoir été abandonné en catastrophe par une secte de cynophiles dix-septiémistes aux abois.

Avant de s'occuper de Chopin, Mouezy-Eon chercha aussi quelques indices utilisables de la présence de Perla Pommeck et de Rodion Rathenau — mais excepté des traces de sauce dans une assiette et de stratégie sur l'échiquier, le couple n'avait rien oublié derrière lui. Il suffisait maintenant de tourner la clef laissée sur la serrure : derrière la porte ouverte Chopin venait de se lever de son fauteuil de mousse avec une expression patiente, résolue mais distraite, prêt à tout comme dans une salle d'attente quand ça va être à vous.

— Où est-ce que je vous mène ? demanda Mouezy-Eon après qu'on se fut salué. Vous voulez vous reposer un peu, ou faire le point tout de suite avec le colonel ?

— Non, répondit Chopin, je retourne à l'hôtel.

— Ce ne serait pas prudent, fit observer l'aquarelliste, vous êtes grillé, là-bas, maintenant. Le colonel désapprouverait.

— Je m'en fous, résuma nerveusement Chopin. Allons-y.

Ils sortirent de la résidence et regagnèrent l'autoroute en enjambant les rails de protection puis contournant le mur antibruit, au-delà de quoi les voitures incessantes continuaient de créer de bruyants courants d'air. Comme ils rejoignaient la R8 clignotante, Chopin se mit à trembler de froid. Je m'en fous, du colonel, répéta-t-il, j'ai un truc à régler là-bas. C'est comme vous voulez, fit Mouezy-Eon qui tint à contrôler le niveau de l'huile avant de refermer le capot.

— Et puis j'ai laissé des affaires à l'hôtel, argumenta Chopin tout en regardant trembler ses doigts, du matériel qu'il faut que je récupère. Il vaudrait mieux qu'on ne tombe pas trop dessus, hein.

— Mais je peux très bien m'occuper de ça, moi, fit valoir Mouezy-Eon tout en repliant son triangle de détresse. Vous êtes crevé, enfin, vous voyez bien. Passez la main.

— Non non, claqua des dents Chopin. Non.

Ils étaient partis, dès la première bretelle ils avaient quitté l'autoroute et traversaient maintenant un bout de banlieue très homogène, perpétuellement peuplé de la même quantité de gens. Mouezy-Eon tentait toujours de convaincre Chopin :

— Si c'est juste pour le principe, vous auriez tort de vous en faire. Je les connais, ils trouveront quelqu'un d'autre dans la maison.

— La question n'est pas là, reconnut Chopin.

— La question est partout, rappela Mouezy-Eon. C'est la jeune femme, alors ?

Chopin ne répondit pas. L'autre ne dit plus rien non plus.

— Bon, dut-il finir par s'attendrir, je vais voir avec le docteur ce qu'on peut faire.

— Quoi, fit Chopin, Belsunce ? Il est de la maison, lui aussi ?

— Qu'est-ce que vous croyez, demanda Mouezy-Eon en tirant de sa poche un *Parisien* régional. A vrai dire il n'est plus chez nous depuis l'an dernier, il a trouvé mieux payé chez les Italiens. Mais il paraît qu'on peut s'arranger avec eux, en ce moment. (Il tendit à Chopin le quotidien.) Vous ne voulez pas regarder ce qu'ils passent au cinéma dans le coin, dans un de ces bleds ? Ce serait mieux qu'on ne vous voie pas trop, en attendant.

Une heure plus tard Chopin se trouvait donc dans

154

le noir, c'est encore là qu'on vous voit le moins, au dix-huitième rang du Pathé-Champigny. Le film s'appelait *Paul* et racontait l'histoire d'un beau garçon prénommé Paul mais que toutes les femmes, l'une après l'autre, abandonnaient. Après une sixième rupture grave sur le pont Bir-Hakeim, sous la pluie, Paul écœuré soldait son compte en banque et renouvelait son passeport quand Chopin s'endormit. Deux séances plus tard, les ongles en sang, deux dents en moins, Paul s'évadait d'une geôle à Djakarta lorsqu'une main secoua l'épaule de Chopin, qui ouvrit les yeux droit sur l'écran : voici qu'à présent l'infortuné rôle-titre s'écorchait profondément en rampant sous un barbelé, la sueur inondait sa figure de cuivre. Allons-y, souffla Mouezy-Eon. En le suivant vers la sortie de la salle, Chopin se retourna vers le film — Paul venait de s'y prendre une balle dans l'omoplate.

Dehors il faisait noir aussi, et trois pas suffisaient pour s'engouffrer dans l'ambulance garée devant le cinéma, rideaux tirés. Au volant, Fernandez remplaçait Florimond. L'ex-gardien de la chapelle expiatoire avait endossé la blouse blanche de l'Antillais, naturellement trop grande sur sa chemise restée bleu gendarme : les revers se grimpaient l'un sur l'autre, les épaules montgolfiaient. Naturellement pas de sirène à cette heure-ci, Fernandez, recommanda

Mouezy-Eon. Juste un peu de gyrophare au cas où. Vous ne croyez pas qu'il va tout dire au colonel ? souffla bravement Chopin. Mouezy-Eon secoua la tête. C'est en extra. Aucun problème.

A l'approche de l'hôtel, Fernandez éteignit les lumières. La CX évita le bâtiment principal et se dirigea vers les garages, où la Toyota du docteur Belsunce jouissait de l'usage exclusif d'un box. Chopin descendit de l'ambulance qui repartit aussitôt. Le docteur l'attendait là, dans l'ombre, clefs en main.

— Content de vous revoir, assura-t-il en faisant glisser la porte du box. Voilà, vous pouvez vous installer là.

Il actionna un gros interrupteur étanche, faisant briller une ampoule nue : outre un train de pneus neige, une galerie amovible et deux bidons de lubrifiant, des cartons de vieux livres et de vieux habits s'entassaient dans le fond. Deux statuettes africaines, deux skis en bois équipés de fixations néolithiques. Puis une armoire sans porte contenait des liasses ficelées de revues corporatives, des blocs d'ordonnances vierges et quelques outils professionnels hors d'usage dans des boîtes en métal — sphygmotensiomètre et stéthoscope crevés, marteau à réflexes et autres abaisse-langue et speculum auriculaires, nasaux, rectaux, rouillés. Présence d'un fût.

— Pas un problème pour la voiture en cette saison, fit savoir Belsunce, elle peut coucher dehors pour quelques nuits.

Pendant qu'ils arrangeaient un coin pour Chopin, le docteur lui raconta la visite de Suzy, la veille, absolument charmante, je n'avais pas compris que vous vous connaissiez, ça je ne savais pas. C'est-à-dire, fit Chopin, c'est un peu compliqué. Elle est en bonne santé de toute façon, diagnostiqua Belsunce, un peu nerveuse bien sûr, besoin de se détendre. Je lui ai prêté ma voiture pour demain, je vous tiendrai au courant. Les couvertures sont là. Evidemment ce n'est pas le très grand confort, ça ne pourra pas être vivable trop longtemps.

— Je vais tâcher de faire vite, s'imagina Chopin.

22

Après une nouvelle nuit à peu près blanche, Suzy va se procurer les hypnotiques prescrits par le docteur Belsunce. Levée beaucoup trop tôt, vers huit heures elle quitte l'hôtel avec la Toyota du praticien.

Le plus proche centre commercial est une esplanade cernée de tours fuligineuses entre lesquelles balance une odeur vive et fade de pourriture plastique, parente de celle qu'émet plus d'un supermarché. Loin d'enjoliver le tableau, les rares taches de couleur, les vagues saillies ornementales qui ont apaisé, peut-être, la conscience de l'architecte soulignent au contraire le poids des lieux, comme une musique parfois décuple un silence lourd au lieu de l'effacer. Dans le même souci décoratif, on a cru pertinent d'installer une fontaine au milieu de la dalle, façon de sphinx moderniste qui vomit sans mollir un étroit ruban d'eau plate, et des femmes contournent cette fontaine, chargées de filets de vivres, et les hommes qui les suivent lisent en marchant leur quotidien directement ouvert au hippisme ou aux offres d'emploi. Tous ont l'air fatigués d'affronter, ou de ne plus pouvoir affronter quelque chose — mais c'est peut-être une impression, raisonne Suzy, c'est peut-être moi —, à l'exception du pharmacien, petit homme efficace et vif barré d'un rai de moustache, bien épanoui sur cet humus riche en produits tranquillisants.

S'étant procuré les siens, Suzy sort de la pharmacie sans regarder le ciel ni les immeubles qui définissent le ciel. Les tours étendent leur ombre dans tous les sens, bien au-delà de leur capacité porteuse, elles semblent aussi produire elles-mêmes ces vagues de vent synthétique, ces mouvements d'air impersonnel qui sans cesse balaient l'esplanade et font danser les étiquettes au-dessus des bacs de primeurs, d'abats et de poissons frais, qui animent aussi la dissémination d'objets légers frémissants sur le sol : tickets divers, emballages froissés, pages de journaux de la veille, mèches décolorées devant le salon de coiffure, feuilles mortes échouées venant d'assez loin. Avisant une carte à jouer solitaire, égarée là face contre terre, Suzy s'abstient de la retourner du bout du pied comme si c'était une vieille pierre plate dans une campagne sèche, craignant les dames de pique autant que les nœuds d'aspics. Mais elle déchiffre autant qu'elle peut les textes des étiquettes, les inscriptions peintes aux vitrines — très beau carrelet, superbe thon, promotion sur les langues et les cœurs —, jouant à y rechercher le mode d'emploi des lieux.

En quittant le centre commercial Suzy traverse d'abord d'autres zones analogues, massifs complexes locatifs qui écrasent à peu près tout sur leur passage. Plus loin, des édifices d'usages divers s'étouffent les uns les autres, entremêlés de chantiers incessants qui ont l'air de menacer par contagion la totalité du secteur. Ainsi toute construction vivote-t-elle en sursis, timide et résignée, voûtée dans l'attente de sa mise à bas — même la plus éclatante des maisons de faïence, serrée parmi des entrepôts désuets, paraît malade et s'étiole dans leur ombre sous l'effet d'une erreur judiciaire.

Comme d'habitude, des flancs d'immeubles rescapés laissent quelquefois reconstituer l'anatomie de ceux qui se collèrent contre eux : grands damiers composés d'anciennes parois de cuisine, de chambre ou de salle d'eau, c'est un patchwork d'alvéoles diversement tapissés, lambrissés, carrelés et peints. Des plus ou moins tièdes intimités passées par ces murs, puis expropriées, ne reste que cet écorché d'inaccessibles carrés aux couleurs déchues, exposés au froid, au vent, à la vue de tous, et que Suzy décrypte en les regardant, reconstituant des biographies d'insectes — depuis le niveau du sol on peut deviner l'ancien emplacement d'un lit à deux places ou d'un évier, d'une chasse d'eau, d'un grand cadre ovale ; parfois dans le carrelage d'une salle de bains reste enchassé un porte-savon intact, contenant un reliquat de pluie mousseuse.

Le matin finit de tenir son rôle, le déjeuner se prépare en cuisine — derniers raccords de sauce dans les coulisses en attendant que tombe sur lui le grand projecteur vertical. Suzy a remis ses écouteurs en conduisant, elle écoute toujours ses mêmes vieilles bandes-son (« Tu veux mon lapin, Schumacher ? »), elle n'a pas trop envie de retourner tout de suite au Parc Palace, elle se laisse emmener par la voiture, lui abandonne l'initiative comme on relâche la laisse du chien, les rênes du cheval qu'on suit dans leur divagation, champ libre en veillant juste à ce qu'ils ne ruent pas trop, ne mordent personne. Puis avisant un panneau qui indique Orly, elle reprend le contrôle de la Toyota, met le cap sur l'aéroport : parmi les restaurants divers elle choisira le plus cher, le plus haut, elle y déjeunera seule en regardant les avions qui décollent.

23

— Elle ne devrait pas tarder, dit Belsunce en entrant, vous avez pu dormir un peu ? Sinon tout est réglé, j'ai payé la chambre et je vous rapporte ça.

Il referma la porte du box, déposa les bagages de Chopin puis tendit un petit sac en papier kraft à l'entomologiste assis sur une caisse, une couverture de cheval sur les épaules. Belsunce prit place sur un carton voisin, s'étant d'abord servi un verre du contenu de son fût. Ça n'a pas l'air d'aller trop fort, estima son sens clinique, vous en prendrez bien un petit aussi, en attendant. Merci, éternua Chopin, oui, puis il défit sans appétit le sac de kraft, encore une banane et du poulet froid, je ne suis qu'un cimetière de poulets. Par un angle, Belsunce soulevait le couvercle de son siège pour s'en rappeler le contenu, une collection pas mal chancie de *La revue du praticien* ; par-dessous la ficelle il extirpa l'une d'elles et parcourut le sommaire en l'époussetant. Il semblait disposé à passer un moment de calme ici, tranquille avec son verre au fond de son box comme dans un club, tranquille sur son carton comme dans un fauteuil club. Je crois que je me suis pris un petit rhume, aussi, dit Chopin.

— C'est de saison, prononça Belsunce avec sagesse. Je vous donnerai un petit quelque chose, tout à l'heure, pour les rhinites.

Dehors un vent nerveux s'était levé, effilochant vers l'horizon du lac une bande de nuages qui lâchèrent quelques ultimes gouttes en détalant, marquant leur territoire sous le soleil hésitant. Un rayon sceptique entra dans la chambre où Rodion Rathenau prenait quelque repos. Allongé sur son lit, le garde du corps relisait une bande dessinée d'espionnage pour adultes dont l'héroïne était dotée d'inconcevables appas : Rathenau était ému, les talons de ses chaussures imprimaient nerveusement deux croissants foncés sur la courtepointe beige. Lorsque l'espionne entreprenait de faire plein de trucs à l'espion, Rathenau s'imaginait toujours à la place de celui-ci, Perla tenant évidemment dans sa rêverie le rôle de celle-là — quoiqu'elle se fût toujours montrée intraitable sur ce point, arguant dans son vocabulaire brutal de ce que niquer dans le boulot c'était niquer le boulot.

La chambre exhibait un aspect négligé, toute chose y pendant plus ou moins à une autre : à l'espagnolette un cintre inoccupé, deux serviettes rose et blanche moites au dossier d'une chaise, où d'une valise mi-close posée dessus de travers s'enfuyait la manche longue d'un sous-vêtement d'hiver. La table avait aussi son lot de magazines froissés, de canettes vides où des mégots se délitaient, de litres en plastique où se dégazéifiaient des fonds. Rathenau sursauta quand la porte s'ouvrit, vivement il rabattit la brochure sur son ventre.

— L'imbécile s'est enfui, annonça Perla. Tu verrais l'état de la porte, on a dû l'aider. Je t'ai cherché partout en bas, qu'est-ce que tu fabriques ?

Envisageant de répondre à cela, Rathenau s'éclaircit d'abord la gorge.

— Comme ça pue, ici, s'indigna Perla. Tu ne pourrais pas aérer, de temps en temps ?

Pendant qu'elle traversait la chambre vers la fenêtre, discrètement Rathenau se rajustait avant de se lever tout en glissant sa lecture sous son lit. Mais ne t'énerve pas comme ça, dit-il défensivement. Il est chez le chiffreur, Veber, ça ne risque rien.

— Tu es d'une inconséquence, B 12, quelquefois, jugea sa consœur en saisissant le téléphone.

— Arrête de m'appeler comme ça, cria Rathenau.

Chez le chiffreur, Vital Veber décrocha aussitôt. Après que Perla eut exposé où on en était, la voix du secrétaire général dénotait un agacement glacé. Bon, fit-il, eh bien vous me le cherchez, maintenant, n'est-ce pas, et puis vous me le trouvez. Rapidement. Puis vous me l'amenez. Perla fit une moue, raccrocha sans un mot, se tourna vers Rathenau. Allez, dit-elle, debout. J'ai mon idée.

— Quatre heures moins le quart, constatait cependant le docteur Belsunce en refermant un numéro spécial sur l'entérocolite. Elle en met, du temps. Elle est bien gentille, cette petite, mais c'est que je pourrais avoir besoin de ma voiture, moi. Bon, je vais voir ce qu'elle fait.

— Non, dit Chopin, c'est moi qui y vais.

— Ce n'est pas très prudent, réfléchit Belsunce.

— Je m'en fous, rappela Chopin.

Le praticien sortit le premier du box, Chopin rasant les murs quelques mètres derrière. De loin en loin, l'autre se retournait pour lui indiquer par gestes discrets le degré de liberté de la voie. Evitant l'entrée principale, ils progressèrent jusqu'à la terrasse d'où l'on accédait au restaurant de l'hôtel, désert à ce moment de la journée. Dès lors, agissant seul, évitant l'ascenseur, se rabattant à chaque instant dans les encadrements, les encoignures, Chopin ne croisa dans l'escalier que deux grooms absorbés dans une polémique technique, et dans le couloir du quatrième un bruit de pas le fit se réfugier dans le réduit du matériel des femmes de service, un instant. Le silence revenu, il traversa vers la chambre de Suzy, cherchant le passe au fond de sa poche. Il ouvrit la porte, la repoussa mais n'eut que le temps d'apercevoir, éteint, le téléviseur d'angle avant d'être empoigné, saisi, maintenu par une clef très serrée dans le dos, selon le même procédé que l'autre nuit grosso modo.

— Vous êtes lassant, Chopin, lui souffla Perla dans le cou, vous devenez fastidieux. On ne va pas jouer à ça perpétuellement, quand même. Non ?

Chopin souhaitait seulement qu'on ne le piquât pas au même endroit que l'avant-veille, mais non, nulle injection : on quitta juste la chambre en le poussant vers l'ascenseur. Perla pressa le bouton du premier étage, on descendit sans se regarder puis Rathenau frappa deux coups forts suivis de trois légers contre la porte du chiffreur : presque aussitôt Veber ouvrit lui-même, un papier beige entre les doigts, l'œil soucieux par-dessus ses verres en demi-lune. Ah oui, fit-il, entrez.

Le secrétaire général portait ce jour-là une veste pied-de-poule sur une chemise rose, cravate et panta-lon roi ; un badge infinitésimal luisait au coin de sa boutonnière ainsi qu'un œil d'insecte. Derrière lui s'étendait une longue table au bout de quoi chuintait un télécopieur — à l'autre bout, plus large et haut qu'un sombrero king size, un imposant plateau de coquillages était flanqué d'un long flacon de Tokay

166

au col très effilé. Aussitôt que furent entrés les gardes du corps encadrant Chopin, un homme qui devait être le chiffreur s'éclipsa vers la pièce voisine, happant une crevette au passage.

— Un instant, dit Veber.

A son tour il quitta la pièce avec son papier beige, revint avec un papier blanc, le glissa dans une chemise avant d'extraire du télécopieur un troisième document qu'il parcourut, sourcils froncés, paraissant extrêmement occupé, à l'évidence on dérangeait. Puis il ôta ses lunettes en se tournant vers les nouveaux venus qu'il considéra quelques instants, d'un air tout à fait étranger, comme s'il devait faire un effort pour se rappeler leur identité, leur nature, leur mode de reproduction, ou même leur moyenne horaire ou leur temps de cuisson. Il finit par sourire imperceptiblement, dessinant du bout de son index une infime arabesque :

— Parfait, prononça-t-il. Laissez-nous.

Les duettistes gorilles parurent désappointés, Rathenau allait se permettre une remarque prudente, mais Perla toucha son épaule et ils se retirèrent vers la porte à reculons. Nous sommes là, dit Perla, dans le couloir. Nous restons là, on ne sait jamais. C'est bien, dit Veber, c'est bien. Et puis non, se ravisa-t-il, occupez-vous plutôt de la jeune femme, maintenant. Amenez-la-moi aussi.

Seul avec Chopin, le secrétaire général lui accorda le même regard bref et sans affect qu'il posait tout à l'heure sur ses documents : il n'était pas tellement réconfortant de se sentir ainsi feuilleté, parcouru en diagonale.

— Asseyez-vous, dit-il ensuite, vous allez bien prendre quelque chose. Un petit verre de vin.

Distraction paterne, indulgente indifférence : les maîtres du monde ne se comportent pas autrement lorsqu'ils reçoivent à la cuisine l'humble facteur chargé d'un pli urgent. Asseyez-vous, répéta-t-il. Chopin s'assit en faisant non de la tête, non merci. Comme vous voudrez, fit Veber. Puis une pause :

— Je ne sais pas ce que vous êtes au juste dans le renseignement. Un petit agent comme il y en a plein, je suppose. Il y a toujours plein de types comme vous partout où je passe, on s'habitue.

Nouveau regard, nouveau sourire gelés, nouvelle pause. Veber saisit une huître au milieu du plateau, la considéra beaucoup plus tendrement puis la reposa, terrorisée, parmi ses pairs.

— Ordinairement je ne rencontre pas les gens comme vous, reprit-il. Pas le temps. D'ailleurs on les laisse faire, en général ils sont inoffensifs. En cas de problème, j'ai la sécurité qui est là pour ça. Vous, c'est un peu différent. Il y a cette jeune femme qui, avec qui.

Il s'interrompit, fronçant le sourcil derechef, écartant l'évocation de Suzy pour développer le point précédent de son discours :

— En cas de problème avec des types comme vous, il y a deux solutions, n'est-ce pas. On les retourne ou on les abat. Personnellement, j'aime mieux quand on les retourne. Quoique. (Un souvenir amusé traversa son front.) Et vous ? Ça ne vous dirait pas de travailler pour nous ?

— Je ne crois pas, dit Chopin. Je ne suis qu'un technicien, de toute façon.

Le sourire de Veber s'élargit d'une bonne douzaine d'angströms. Un ver luisant s'éveillait dans son œil :

— Mais justement. Précisément. Dans votre genre il y a des précédents, plein de précédents.

Chopin haussa quelques épaules, Veber souriait de plus en plus, frôlant hystériquement le micron. En ce qui concerne madame Clair, ajouta-t-il — mais de nouveaux coups sonnèrent contre la porte à cet instant. Eh bien, je crois que la voilà.

Suzy parut, inexpressive, vêtue de l'ensemble gris qu'elle portait le jour du jardin Shakespeare, seule. Elle regarda Chopin sans paraître surprise, tout cela devant arriver un jour. Autour d'elle aussitôt s'affaira le secrétaire général, lui avançant un fauteuil par-ci, lui proposant un verre par-là, s'excusant pour le dérangement qu'avaient sûrement causé ses gardes du corps, surtout qu'elle ne leur en veuille pas trop : des natures frustes, dévouées mais hélas primitives, quoique d'excellents fonds sous de rugueux dehors. Non, dit Suzy, je suis venue seule. Je ne les ai pas vus.

— Mais vous devriez me dire, maintenant, poursuivit-elle d'une voix sans illusions. Vous m'avez presque promis, hier, au téléphone. Il faut me dire où il est, maintenant.

Veber hésita, parut se résigner. Bon. Chopin et Suzy le virent contourner la table du côté des mollusques et se diriger vers la porte de séparation, la pousser, pousser sa tête par l'entrouverture. C'est bon, l'entendirent-ils articuler, vous pouvez venir. Un temps, comme d'habitude, puis le chiffreur parut.

Le chiffreur parut, ferma la porte derrière lui puis s'y adossa en déposant un regard calme sur l'assistance. Suzy venait d'ouvrir immensément les yeux. Oswald, dessinèrent ses lèvres.

— Voilà, chuchota Veber en se penchant vers Chopin. Prenez monsieur Clair, par exemple. C'est un précédent.

Puis le silence est bien lourd pendant quelques instants, on ploie sous des dizaines d'atmosphères, c'est étouffant, on respire mal, c'est le moment idéal pour que la porte d'entrée s'ouvre très brusquement, pour que paraisse dans l'embrasure la haute silhouette sombre du colonel Seck, tout de bleu nuit vêtu comme à l'accoutumée. Serré dans son puissant poing noir, un Colt Diamondback chromé luit de tous ses feux, unique éclat dans le demi-jour, comme un solitaire brille sur le fourreau d'une femme fatale.

24

— On ne perd pas de temps, dit en souriant le colonel Seck, son arme pointée sur le secrétaire général. On s'organise et l'on procède ainsi : monsieur Veber, vous ne bougez pas. Chopin, vous emmenez madame Clair faire un tour dans le parc. Bien. Maintenant, monsieur Clair, vous vous dirigez vers cette porte. Monsieur Veber, vous ne bougez toujours absolument pas.

Le colonel avait l'air détendu, sûr de lui, rien ne semblait pouvoir s'opposer à ce dispositif parfait : Veber se tenait immobile et Chopin s'approchait de Suzy, mais Oswald Clair n'eut pas un geste, ne se dirigea nulle part, ce qui produisit un blanc dans le dispositif parfait. Le télécopieur se mit à chuinter dans ce blanc : quelque part dans le monde, on lançait un message à travers l'éther en direction du Parc Palace. Oswald Clair persistait dans l'immobilité, le colonel continuait de lui sourire fixement, ses yeux bientôt chargés d'une impatience inquiète, rappelant un peu la tête que fait Titus quand Bérénice ne sait plus son texte.

— Monsieur Clair, vous vous dirigez, répéta-t-il d'une voix plus insistante et suspicieuse.

— Je ne me dirige nulle part, dit calmement le chiffreur. Je veux des garanties, d'abord.

— Voyons, Oswald, sourit Veber avec douceur. Puisqu'il vous le demande.

Son visage s'éclairant, il se tourna vers le colonel qui se rembrunissait dans le même temps comme s'ils ne disposaient que d'un sourire pour deux, un bon vrai sourire de plusieurs centimètres mais en même temps tellement volage, voletant insouciamment de l'un à l'autre : pour le moment, l'oiseau passait à l'Est.

— On dirait qu'il ne veut pas, remarqua Veber. Peut-être qu'il veut rester. Peut-être même que la dame va vouloir rester, elle aussi. Qui sait.

— Le rapport de force m'est favorable, plaida le colonel énervé, notez-le bien. S'il ne veut pas venir de son plein gré, il faudra bien que ça se fasse de toute façon.

— Où sont les garanties qu'il vous demande ? questionna froidement Veber. Où sont vos forces, pour le moment ? Le docteur, vous n'êtes même pas sûr de lui. Qu'est-ce qui vous reste à part cet amateur et le vieux peintre ?

Chopin ne réagit pas, il ne déteste pas ce terme d'amateur et trouve que Veber est vraiment bien renseigné. Mais le colonel hésite ; ne sachant que répondre, un nouveau blanc se fait jour dans son dispositif. Arrêt sur image : agitées par le vent d'Orient dominant, les branches des arbres proches viennent régulièrement frapper les fenêtres, contre-faisant le bruit du moteur de l'appareil de projection. L'action reprend son rythme lorsque la porte de la suite s'ouvre à nouveau : cette fois c'est le docteur Belsunce affairé, paternel, rassurant, comme quand il passait le matin dans son service à l'hôpital, dans le temps. Ses yeux indépendants saluent tout le monde simultanément.

— Je venais aux nouvelles, déclara-t-il, voir si tout se déroule bien. Tout va comme vous voulez, colonel ? La situation est bien en main ?

— Ma foi, dit Seck, un petit renfort ne serait pas de refus, peut-être. Vous seriez plutôt avec moi sur cette affaire, ou plutôt pas ?

Belsunce réfléchit rapidement. Rien ne paraît s'y opposer, conclut-il en tirant avec calme un auto-matique Unique de sa poche intérieure. Le colonel se détendit. Merci, docteur.

— Je vous en prie, dit le praticien tout en vérifiant

la sûreté latérale de l'engin. De toute façon je ne peux pas vous refuser ça, depuis la défection de Rappoport.

— C'est noté, Belsunce, fit aigrement Veber.

Sa voix venait de sonner sans timbre, son visage se figeait. Le sourire volatile commençait à s'ennuyer chez lui, d'un coup d'aile il retraversa l'espace : le colonel le sentit revenir se poser en douceur entre ses commissures, les éloigner l'une de l'autre avec tendresse.

— Bon, dit Veber à voix basse, négocions. Sous certaines conditions, c'est envisageable, j'ai des informations sensibles assez récentes, il faudrait voir. Vous êtes intéressé ?

— Personnellement pas trop, répondit le colonel, mais votre idée va beaucoup plaire au comité de surface.

Il rit en regardant Veber pâlir d'un cran supplémentaire et se tourna vers le chiffreur.

— Maintenant, monsieur Clair, dit-il en abaissant le canon de son arme, vous allez vous laisser faire par le docteur. Vous aurez toutes les garanties. Sinon je vais tirer sur un de vos pieds et il faudrait ensuite vous laisser faire par le docteur, de toute façon. Bien. Chopin, vous vous occupez de Veber.

— Avec quoi ? demanda Chopin. Avec quoi voulez-vous que je m'en occupe ?

— Vous n'avez rien prévu ? s'indigna Seck. Vous n'avez rien sur vous ? Mais enfin merde, Chopin, vous êtes professionnel ou quoi ?

— Je ne suis qu'un technicien, rappela Chopin.

— Technicien, répéta le colonel avec mépris. Mais enfin regardez Belsunce, il a tout de suite ce qu'il faut sur lui, au moins. Vous n'auriez pas autre chose, docteur, pour Chopin ?

— Désolé, dit Belsunce. Il faudrait passer par chez moi, je ne crois pas qu'on ait trop le temps. Si j'avais su, naturellement.

Excédé, le colonel tira de sa poche une paire de menottes qu'il posa près des huîtres. Prenez déjà ça. Puis il fouilla dans ses vêtements, allant chercher tout près de son cœur un minuscule Kolibri à crosse de nacre rose qu'il tendit à Chopin de mauvaise grâce ; ses recommandations multipliées laissaient entendre qu'à cet automatique il était attaché sentimentalement. Il s'agissait d'un souvenir, n'est-ce pas, une petite chose fragile et la détente était ultrasensible, il faudrait donc faire beaucoup attention. Eviter surtout de le laisser tomber, bien sûr, puis réarmer *très* délicatement, sans trop tirer sur la culasse, sinon ça bousillait le ressort. Ensuite c'était toute une histoire pour retrouver des pièces, sur ce modèle. Ça irait ?

Chopin considéra l'arme extra-plate avec une gêne. Certes on peut tuer du monde même avec du

2,7, mais quand même celle-ci ne faisait pas sérieux, cela devait plutôt sentir la poudre de riz lorsqu'on tirait. C'est très petit, dit-il, mais bon. Ça ira. Allons-y, dit le colonel Seck.

Ils sortirent en bon ordre : Oswald Clair avançait devant Belsunce dont l'Unique bosselait la poche droite de sa veste, Suzy derrière eux, le colonel fermant la marche. Puis Chopin se tourna vers Veber qui paraissait inquiet, lui parla sur un ton rassurant, souriant infirmièrement comme si c'était un cathéter et des compresses qu'il brandissait au lieu des menottes et du Kolibri. Bon, lui dit-il, désolé mais je vais devoir vous immobiliser un peu. Allons, vos poignets, s'il vous plaît. On remonte un peu ses manches, on se détend bien et hop, voilà. Parfait. Veber se laissa faire, absent, gravement préoccupé par l'allusion du colonel au comité de surface et par la défection de son chiffreur, autant dire sa mémoire, sans parler de l'absentéisme inqualifiable de ses gorilles en un tel moment. Tout cela sentait un peu la fin de carrière.

Quelques minutes plus tard, quand les gardes du corps s'annoncèrent selon le code convenu, Chopin se plaça derrière la porte qu'il ouvrit avant d'abattre de toutes ses forces la crosse du Kolibri sur l'os occipital de Rathenau. Malgré sa joie de voir aussitôt s'effondrer l'homme de main, un scrupule machinal lui fit jeter un coup d'œil sur la petite arme, vérifiant que le choc n'avait pas trop endommagé la nacre — instant d'inattention dont Perla profita pour se jeter sur lui.

Si l'on en vient parfois à se battre avec les femmes qu'on aime, c'est vrai qu'avec les autres on a moins d'occasions. Mais l'expérience n'en est pas moins troublante, ce corps de femme violente tout contre lui troublait Chopin, lui ôtait d'autant plus de chances de vaincre que Perla se battait très efficacement, bien mieux formée au close-combat que le sont habituellement les bien-aimées. Tuez-le, Perla, criait cependant Veber, cassez une vertèbre à ce con.

Rathenau s'était redressé à quatre pattes en se massant l'arrière du crâne. Feintant du mieux qu'il put, se dérobant un instant à l'étreinte perlière, Chopin parvint à repousser avec vigueur la jeune femme, la faisant buter contre son collègue' puis s'effondrer par-dessus lui — un peu trop aisément, parut-il à Chopin avant qu'il se fût rué par la porte restée ouverte.

— Mais qu'est-ce que vous foutiez? vociféra le secrétaire général en tendant vers Rathenau ses poignets entravés.

— On cherchait la fille, dit Perla en se relevant. Vous dites de la chercher, on la cherche.

— Vous êtes mauvais, affirma Veber avec amer-

178

tume, vous êtes les plus mauvais. Mais c'est noté, répéta-t-il véhémentement, tout ça est noté. Enlevez-moi ça, Rodion.

— Pas tout de suite, dit Rathenau. On va attendre un peu.

— Non mais qu'est-ce qui vous prend, Rodion, fit Veber en se figeant. Non mais vous êtes malade, ou quoi ? Voulez-vous bien m'enlever ce truc immédiatement. Enfin. Perla.

— Calme, dit Perla, calme. Ne vous inquiétez pas. On va juste attendre un petit peu.

Elle se dirigea vers la fenêtre depuis laquelle, à travers les branches d'arbres elle distingua le petit groupe qui venait de contourner l'hôtel vers la pelouse du golf, longeant le premier bunker. Comme Chopin les rejoignait en courant, elle vit le colonel Seck tendre aussitôt la main pour récupérer son Kolibri sentimental.

Le colonel examina minutieusement la petite arme, la renifla puis il dit ouais, bon. Ça va. Vous n'avez pas eu besoin de vous en servir ? Pratiquement pas, dit Chopin. D'un pas vif ils traversèrent le green rasé de près, vers l'embarcadère du lac. Ils y patientèrent moins d'une minute ; Chopin regardait Suzy, le colonel sa Patek-Philippe, Belsunce plusieurs choses en même temps et Suzy l'eau du lac et son mari, l'une après l'autre. Un enrouement de crécelle naquit vers la gauche, s'amplifiant, s'incarnant en hors-bord piloté par Mouezy-Eon. Lequel manœuvra, accostant au ponton.

— Allez-y, dit le colonel Seck, montez vite tous les trois.

— Vous ne venez pas ? fit Chopin.

— Non, répondit le colonel. Tout ça ne me concerne plus, maintenant.

Suzy monta la première à l'arrière du hors-bord, Oswald Clair prit place à côté d'elle et Chopin devant, près de Mouezy-Eon. Aussitôt le colonel tourna le dos mais le docteur leur fit un signe de la main quand le canot démarra vers l'autre rive du lac, ensuite tous deux remontèrent vers l'hôtel. Tu peux y aller, dit Perla.

Rathenau défit les menottes de Veber en disant allez, on y va. Ils sortirent de la chambre, puis le secrétaire général entra dans l'ascenseur d'un air vaincu, voûté, en se demandant vaguement où il avait bien pu ranger le cyanure. Ils sortirent de l'hôtel, Veber suivant Perla et Rodion qui descendaient lentement les marches de la terrasse, s'étirant et se décontractant comme en fin de match. Belsunce, à leur vue, tressaillit en portant la main à son arme.

— Laissez, dit le colonel. Ces deux-là sont à moi, maintenant.

25

Il n'y avait pas de lac ici, dans le temps, c'étaient de grandes carrières de sable qu'on a comblées. On a mis de l'eau dedans, posé des barques dessus, on a gardé un peu de sable pour inventer une plage non loin de laquelle on a planté dans l'eau un mât de fort diamètre hérissé de plongeoirs, de plates-formes et d'échelles métalliques, et qui a l'air d'un derrick peint en blanc. L'été prochain flotteront aussi les pédalos, glisseront les planches à voile et souffleront les pagayeurs ; chaque soir l'une des barques, à moitié immergée, tiendra le rôle du contre-ut dans le grand final du crépuscule, mais nous n'en sommes pas là. Pour le moment c'est le début du printemps, c'est la fin de l'heure du thé, le ciel s'est dégagé. Fil-de-fériste sur la ligne d'horizon brisée, le soleil se déverse par seaux de vermillon dans l'eau glacée du lac artificiel.

Pendant la traversée, Chopin ne se retourna pas une fois, ni vers le Parc Palace ni vers le couple Clair installé derrière lui, silencieux. La conduite du hors-bord n'allait pas très bien à Mouezy-Eon, il n'était pas du tout vêtu pour ça, d'ailleurs son style de pilotage était le même qu'au volant de la R8 sauf qu'il menait le canot à tombeau ouvert, comme pour s'en débarrasser le plus vite possible.

On se rapprocha donc très vite de l'autre bord du lac, où le parc de loisirs avait l'air d'une pelouse sagement peignée sur le côté mais victime d'une violente crise de croissance, tourmentée par la disproportion de sa surface et mal à l'aise dans ce costume vert trop grand, trop neuf, comme un jeune géant bien élevé ne sait que faire de son corps. En semaine, personne ne le fréquentait à cette heure-ci que trois coureurs à pied se poursuivant sans se regarder, disparaissant, resurgissant au fil des vallonnements balisés d'arbustes. Net, monochrome et bien rangé, ce décor paraissait aussi faux qu'une toile peinte ou qu'une transparence, le seul relief concret étant une très longue voiture noire garée en pente aiguë non loin de la rive — et la silhouette d'un homme maigre et mat se tenait immobile au bord de l'eau, debout sur un système d'accostage primitif, un gros anneau en fer scellé dans un surplomb de béton.

A quelques mètres du rivage, Mouezy-Eon tendit un rouleau de corde à Chopin qui le projeta vers la silhouette. Celle-ci, penchée de guingois, saisit la corde qu'elle passa dans l'anneau avant de paumoyer le canot, puis qu'elle relança vers Chopin. Oswald Clair sauta sur la rive avant qu'on eût tout à fait abordé puis s'éloigna d'un pas pressé comme s'il connaissait le chemin, Suzy marchant à côté de lui, légèrement en retrait. Chopin fixa la corde autour d'un taquet tout en les regardant avancer vers l'auto noire : Oswald, un moment, se tourna vers Suzy, prononça quelques mots en frappant légèrement sur une poche de sa veste, elle répondit par un sourire glacé que Chopin ne connaissait pas. Mouezy-Eon coupa le contact.

— Allons-y, dit-il en s'extrayant prudemment du hors-bord.

Nous autres en Europe de l'Ouest voyons très peu souvent des voitures aussi grandes que cette longue auto noire ; de tels modèles prendraient évidemment trop de place sur nos petits terrains. Il faut aller fouiller les étendues immenses au-delà de l'Atlantique ou du fleuve Dniepr pour découvrir des limousines de ce format, qu'une élite ouvrière assemble avec soin sur les chaînes de montage de chez Zil ou de chez Buick. Sur chaque flanc de celle-ci, trois portières aux glaces fumées s'ouvraient sur trois rangées de fauteuils en cuir gris perle, de brèves antennes sophistiquées fixées aux ailes arrière permettaient de capter tous les signaux hertziens du monde, et sans beaucoup de mal on aurait pu dîner à treize autour du capot ; pour sa part, Chopin n'avait jamais vu pareil véhicule dans le Bassin parisien. Il suivit Mouezy-Eon dans sa direction, la silhouette anguleuse traînant un peu la jambe quelques mètres derrière eux.

L'homme qui parlait avec Oswald Clair par la vitre baissée, installé sur un siège de la rangée médiane, Chopin ne l'avait jamais vu non plus. C'était un sexagénaire de constitution frêle, noyé dans un costume gris qui se confondait avec la teinte de son fauteuil, et paraissant moins installé qu'absorbé, intégré dans le fauteuil d'où n'émergeait que son visage aux petits yeux vifs, aux lèvres minces — et ses mains fines semblaient aussi extraites du siège, rabattues comme des accoudoirs et susceptibles à tout instant d'y être renfoncées. La Gauloise jaune qui déroulait un fil de fumée grise au bout de ses doigts avait ainsi l'air de se consumer seule, oubliée dans le cendrier amovible au bout de l'accoudoir.

Quand Chopin rejoignit la voiture, suivi de Mouezy-Eon et de la silhouette aussitôt installée au volant, Oswald Clair était en train de retirer de sa poche un tout petit objet qu'il tendait à l'homme assis dans la voiture.

— L'essentiel est là-dedans, disait-il. Bien sûr, dans ces conditions, je n'ai pas pu tout emporter.

Chopin n'aperçut pas la forme exacte de l'objet tendu par le mari de Suzy mais vraiment il était minuscule, aussi petit qu'étaient épais les trois murs de dossiers détournés six ans plus tôt par le transfuge.

— Les normes, fit Maryland. Vous avez pu vous procurer les normes, j'espère.

— Les trois versions, confirma Clair, avec les corrections de Ratine et le mémorandum Boyadjian. Vous trouverez aussi les protocoles de réunion du groupe Technique et Prévision, et la plupart de leurs rapports au comité de surface.

— Le comité de surface, évoqua Maryland avec mélancolie. Si je pouvais tenir quelque chose là-dessus.

— J'ai leurs synthèses internes, dit Clair. Sur quatre ans.

— Quoi, s'étonna Maryland, ils vous ont laissé sortir avec ça aussi ?

— Ne vous faites pas d'illusions, dit Clair, ça les arrange. Si j'ai l'air de partir en emportant de vrais documents, ça leur permet d'enfoncer Veber un peu plus. En dehors du comité, personne ne sait que ces informations ne sont plus très sensibles. Ils avaient prévu depuis longtemps de modifier leur logistique, de toute façon, donc ils s'en foutent. Tout ça n'a plus qu'un intérêt très relatif.

Les trois coureurs à pied parurent en soufflant tels des chevaux de la préhistoire ; l'un portait un bandeau sur le front, l'autre un walkman sur les oreilles, le troisième uniquement son short blanc ; Clair attendit qu'ils fussent passés avant de poursuivre :

— Il y a le dossier Jaspar, vous vous souvenez ? Je l'ai aussi.

— Nous l'avions déjà, celui-là, fit Maryland modestement. Nous l'avons.

— Il est faux, celui que vous avez. Ils vous l'ont fait passer par Morse, c'est ça ?

— Ma foi oui, dit Maryland. Il me semble que c'est Morse qui. Attendez un instant. Vous ne voudriez quand même pas dire que Morse ?

Clair ne répondit pas.

— Grands dieux, réfléchit Maryland, le petit Morse. Alors il. Moi qui lui. Vous avez d'autres noms ?

— Quelques-uns, puis d'autres petites choses encore, quelques listes.

— Ça va, dit Maryland en écrasant sa cigarette, ça

va. On reverra tout ça dans l'ordre au debriefing. Montez. Montez tous.

On se répartit les places dans l'automobile : Suzy devant près du chauffeur, Chopin derrière avec Mouezy-Eon. Clair s'était installé à côté de Maryland, sur la rangée médiane, où ils se mirent à commenter l'opération.

— Et finalement, dit Clair, dans le mouvement vous vous débarrassez du colonel.

— C'est vrai qu'il en faisait un peu trop, reconnut Maryland. Mais c'est surtout qu'il y tenait lui-même, n'est-ce pas, ça faisait un bon moment qu'il voulait partir.

— Ça me fait quelque chose qu'ils m'échangent contre lui, parut s'attendrir Clair. Il va rentrer là-bas avec Veber, je suppose. Ce serait drôle qu'ils lui donnent son poste. A moins qu'ils s'en débarrassent aussi.

— Ce n'est pas tellement contre Seck qu'ils vous échangent, précisa Maryland, c'est contre la liquidation de Veber. Et le colonel s'en tirera bien, ne vous inquiétez pas. Je l'ai connu dans les années cinquante, à l'université Patrice-Lumumba, il s'en tirait très bien, déjà.

La limousine traversait les contrées suburbaines vers Paris, Chopin n'écoutait plus le dialogue des chefs. A côté de lui, Mouezy-Eon se taisait, ayant tiré du fond de son manteau beige un carnet à dessin et dressant de petits croquis instantanés de tel ou tel point de vue du paysage qui défilait. Chopin se demanda comment il parvenait à choisir ses sujets dans ce décor : sous l'apparente diversité de la banlieue, toutes les choses y semblaient affectées du même poids, du même goût, nulle forme sur nul fond ne faisait sens, tout était flou. Chopin de toute façon ne regardait plus rien non plus, réfléchissant vaguement à son état de pion, de figurant, myope comme une taupe enfouie dans le sol natal. Enfin, on rentra dans Paris.

Rue de Rome, des ouvriers de la miroiterie venaient d'emplir d'éclats de glace un camion-benne qui s'éloignait, distribuant un kaléidoscope crépusculaire sur les façades lorsque la voiture noire s'arrêta devant l'immeuble de Suzy. A demain au bureau, dit Maryland à Clair, et mes hommages et toute ma gratitude encore, madame. Elle ne répondit pas, le couple descendit sans un regard pour qui que ce fût. A gauche, Vito, dit Maryland avant de se tourner vers Chopin. Où souhaitez-vous qu'on vous dépose ?

Tout au long du boulevard de Courcelles jusqu'à la place des Ternes, Chopin prémédita ce qui devrait se passer pour lui toute la soirée, seul à côté de sa fenêtre. Une boîte de conserve et puis un peu de stilpon, ensuite le film à la télévision, Marianne qui souhaiterait une bonne nuit au pays, puis on finit toujours par aller se coucher. Et le lendemain matin le courrier habituel, les tracts et la brochure, la carte postale : l'océan d'un côté, de l'autre un texte bref : Attends-moi. Suzy.

— C'est bon, dit-il, ça va. Laissez-moi là.

CET OUVRAGE A ÉTÉ ACHEVÉ D'IMPRIMER LE DOUZE
JUILLET MIL NEUF CENT QUATRE-VINGT-NEUF DANS
LES ATELIERS DE NORMANDIE IMPRESSION S.A. À
ALENÇON (ORNE) ET INSCRIT DANS LES REGISTRES
DE L'ÉDITEUR SOUS LE N° 2453

Dépôt légal : juillet 1989